ANWB EXTRA CITY

Rome

Caterina Mesina

De 15 hoogtepunten in een oogopslag

TRIONFALE

Viale Giuseppe Mazzini

Viale delle Milizie

Lepanto

Flaminio
P.za del Popolo

14 MAXXI
(blz. 69)

P.za del Popolo

Ottaviano-S. Pietro
Musei Vaticani

Via Cola di Rienzo

Cipro

CITTÀ DEL VATICANO

8 Musei Vaticani
(blz. 52)

7 Sint-Pieterskerk
en Sint-Pietersplein
(blz. 48)

Via d. Conciliazione

Lgo di P.Cavalleggeri

Lgt. di P.Cavalleggeri

12 Castel Sant'Angelo
(blz. 64)

Lgt. Castello

Lgt. Tor di Nona

1 Piazza Navona en
Campo de' Fiori
(blz. 30)

Pantheon
(blz. 62)

11

Corso V. Emanuele II

2 Palazzo Spada
(blz. 33)

M. Gianicolo

Lgt. Tebaldi

Fiume Tevere

Lgt. della Farnesina

Lgt. dei Tebaldi

Isola Tiberina

Acqua Paola

Via Garibaldi

3 Trastevere
(blz. 35)

TRASTEVERE

Via di Trastevere

Villa Doria Pamphilj

Viale di

Porto di Ripa Grande

Lgt. Testaccio

Testaccio
(blz. 59) **10**

N

0 500 1000 m

TESTACCIO

9 Villa Borghese
(blz. 56)

Villa

Borghese

SALARIO

Tivoli
(blz. 71) **15**

M Spagna

6 Spaanse Trappen
en omgeving
(blz. 45)

M Barberini

Termen van
Diocletianus

P.za della
Repubblica
M Repubblica

SAN
LORENZO

Termini M Stazione
Centrale
Roma-
Termini F.S.

P.za
Venezia

Monument Naz.
a Vittorio
Emanuele II

M Cavour

Musei
Capitolini

M Vittorio
Emanuele

M. Esquilino

M. Capitolino

Colosseo M

5 Colosseum
(blz. 42)

Via Labicana

Manzoni M

M. Palatino

4 Forum Romanum,
Palatino en Capitool
(blz. 38)

P.za di
P.ta S. Giovanni

Circus Maximus

Via del Circo Massimo

M. Celio

Via Appia Antica
(blz. 66) **13**

M. AVENTINO

M Circo
Massimo

Via delle Terme di Caracalla

P.za
Albania

Welkom

De 15 hoogtepunten

Te gast in Rome

▶ ▓ ▓ ▓ ▓ ▓ Deze symbolen verwijzen naar de grote stadsplattegrond

Benvenuti – Welkom

In Rome liggen – misschien wel meer dan in welke andere stad ter wereld ook – heden en verleden vlak bij elkaar. Dat geldt ook voor het Campo de' Fiori. In de oudheid grensde het plein aan het theater van Pompeius, waar de voor Caesar zo noodlottige senaatszitting werd gehouden. Tegenwoordig geldt het marktplein, waar u een uitstekende indruk krijgt van het dagelijks leven in Rome, als een van de mooiste van de stad.

Stadswijken

De meeste bezienswaardigheden van Rome liggen binnen de historische stadsgrenzen en zijn tamelijk gemakkelijk te voet bereikbaar. Alleen voor een bezoek aan het **Vaticaan** (▶ A/B 3/4), de wijk **EUR** (▶ kaart 5, in het zuiden van de stad) en de **Via Appia Antica** (▶ kaart 4) is het aan te raden gebruik te maken van het openbaar vervoer. De grote doorgaande routes als de Via Nazionale, Via Cavour, Via del Corso en Corso Vittorio Emanuele II vergemakkelijken de oriëntatie in de binnenstad.

De zeven klassieke heuvels

Volgens de overlevering werd Rome op zeven heuvels gebouwd. In het gebied tussen **Monte Palatino** (▶ F/G 6), Monte Campidoglio en **Monte Capitolino** (▶ F 6) liggen het Forum Romanum en het Colosseum, de belangrijkste overblijfselen van het oude Rome. Op de **Monte Esquilino** (▶ G/H 5) ligt rond de Santa Maria Maggiore en de Piazza Vittorio een multiculturele wijk, waar veel Aziaten en Afrikanen wonen. De 'groene' en rustige **Monte Celio** (▶ G 7) wordt gekenmerkt door vroegchristelijke kerken, vredige pleinen en de dromerige Villa Celimontana. Op de **Monte Viminale** (▶ G 5) zetelt het ministerie van Binnenlandse Zaken, terwijl op **Monte Quirinale** (▶ F/G 4), waar ooit oude tempels en pauselijke zomerpaleizen stonden, als residentie van de Italiaanse president dienstdoet. De **Monte Aventino** (▶ E 8) is een stuk rustiger: kleine kloosterkerkjes, veel groen en weinig verkeer maken deze heuvel tot een van de populairste (en duurste) villawijken.

Centro Storico ▶ D-F 2-5

Het Centro Storico is de van oorsprong middeleeuwse binnenstad, het eigenlijke hart van Rome. De wijk wordt doorsneden door de kaarsrechte Via del Corso, die de Piazza Venezia en de Piazza del Popolo met elkaar verbindt, en de Corso Vittorio Emanuele II, die naar het Vaticaan loopt.

Deze grotendeels autovrije wijk werd tijdens de renaissance en de barok volledig ontsloten. Er werden talrijke representatieve *palazzi* opgetrokken, zoals het Palazzo Farnese. Ook werd het gebied verfraaid met pleinen en fonteinen, zoals de Piazza Navona en de Fontana di Trevi. Het is een schilderachtige wijk met kleine winkeltjes, cafés met terrasjes en smalle straatjes. Rond de Spaanse Trappen is het beste winkelgebied van Rome te vinden en rond het Pantheon, de Piazza Navona en de Campo de' Fiori vindt u tal van restaurants.

Trastevere ▶ C-E 6/7

Deze pittoreske wijk met zijn smalle, bochtige steegjes ligt aan de overzijde van de Tiber en is al sinds de oudheid een van de volkswijken van Rome. Hoewel de goedkope woningen van de voormalige kunstenaars- en studentenwijk plaats hebben moeten maken voor luxueuze appartementen, zijn de charme en flair van deze wijk bewaard gebleven. De talrijke trattoria's, osteria's, restaurants en pizzeria's zijn er nog steeds en worden 's avonds druk bezocht.

Testaccio en San Lorenzo

Ook de *quartieri* **San Lorenzo** (▶ K/L 4/5) en **Testaccio** (▶ kaart 1a) hebben zich de afgelopen jaren tot trendy wijken ontwikkeld. In het tijdens de Tweede Wereldoorlog zwaar beschadigde San Lorenzo is de universiteit gevestigd. Naast de al lang bestaande arbeidersetablissementen zijn hier tal van goedkope pizzeria's en kleine *enoteche* gevestigd.

Ook Testaccio heeft zich tot een hippe wijk ontwikkeld met onder andere een aantal chique Italiaanse restaurants. De bochtige Via Monte Testaccio vormt hier het middelpunt van het uitgaansleven.

EUR ▶ kaart 5

De wijk **EUR** (een afkorting van Esposizione Universale Romana), die voor de Wereldtentoonstelling van 1942 werd ontworpen, moest de macht van het fascisme symboliseren. Na de oorlog werd het gigantische tentoonstellingsterrein tot een moderne stadswijk met een metroverbinding omgetoverd. Voor de Olympische Spelen van 1960 werden stadions gebouwd en kunstmatige meren aangelegd. Symbool van de wijk is het Palazzo della Civiltà del Lavoro, dat ook wel het 'vierkante Colosseum' wordt genoemd.

Mooie uitzichten

Een van de mooiste uitkijkpunten van de stad is de **Piazzale Garibaldi** (▶ B/C 5/6) op de 80 m hoge heuvel Gianicolo. Het Castel Sant'Angelo, de koepel van het Pantheon en het kolossale witte Monumento a Vittorio Emanuele II zijn niet over het hoofd te zien. Bij helder weer kunt u tot aan het Albaanse gebergte en de Apennijnen kijken.

Ook vanaf de ertegenover liggende Monte Pincio – hoog boven **Piazza del Popolo** (▶ E 2) – hebt u een fantastisch uitzicht over Rome. Wie geen last heeft van hoogte- of pleinvrees, moet beslist de 120 m hoge koepel van de **Sint-Pieterskerk** (▶ A/B 4) beklimmen, vanwaar u een panoramisch uitzicht over het Sint-Pietersplein en Vaticaanstad hebt. Ook vanaf het 70 m hoge **Monumento a Vittorio Emanuele II** (▶ F 5) hebt u een uitzicht van 360 graden over het oude Rome en de daken van de binnenstad

Uitzicht vanaf de koepel van de Sint-Pieterskerk op het Sint-Pietersplein en de omgeving

De Romeinen

Rome is dag en nacht een bruisende stad, waar zuidelijk temperament zich paart aan inventief improvisatietalent. Ondanks alle hectiek laten de Romeinen zich niet opjagen. Ze staan erom bekend wat onbehouwen te zijn, maar ontpoppen zich in de directe omgang vaak als hartelijk, vaak klaarstaand met een snedige opmerking *(battuta)*, waarmee ze zichzelf of iemand anders op de hak nemen. Neem het vooral niet te serieus! Overdreven drukte geldt in Rome al snel als *fanatico*. Met stoïcijnse rust of grappen makend met zijn lotgenoten wacht de Romein urenlang in de rij bij een bank, een postkantoor of een overheidsinstelling. Zelfs in de avond, als in de betere pizzeria's alle plaatsen bezet zijn, wacht men geduldig tot er een plekje vrij is – *pazienza* is in Rome het toverwoord.

Een wereldstad

'So romano e me ne vanto' ('Ik ben een Romein en daar ben ik trots op'), heeft Francesco Totti, de aanvoerder van het voetbalteam van AS Roma, eens gezegd. Maar wie is eigenlijk een Romein? Toen Rome in 1871 hoofdstad van Italië werd, telde de stad ongeveer 200.000 inwoners. Pas in het begin van de 20e eeuw werd de grens van een miljoen overschreden. Rome kende zijn snelste groei tijdens de periode van grote economische voorspoed in de jaren zestig van de 20e eeuw, toen er elk jaar ongeveer 100.000 mensen bij kwamen. De meesten waren afkomstig uit het zuiden van Italië. Intussen heeft Italië zich ontwikkeld tot een immigratieland. De meeste nieuwkomers zijn afkomstig uit Roemenië, gevolgd door de Filippijnen, Polen, Peru, China, de Oekraïne, Ecuador, Egypte en Albanië. Een van de meest exotische wijken van Rome ligt rond de Piazza Vittorio, het Chinatown van de stad. Een groot deel van de buitenlanders werkt als hulp in de huishouding, kindermeisje of in de ouderenzorg. Anderen verdienen hun brood in de bouw of beproeven hun geluk met een eigen winkeltje of restaurant. Zonder hen zouden veel van

De kenmerkende barretjes zijn niet weg te denken

deze sectoren vermoedelijk volledig ineenstorten.

Tot voor kort werden immigranten beschouwd als welkome goedkope arbeidskrachten, die op hulp van de overheid konden rekenen, maar in het politieke klimaat van de afgelopen jaren is men migranten in toenemende mate als een probleem gaan zien. Door een weinig consistent integratiebeleid en de anti-immigratieretoriek van politici van onder andere de Lega Nord is de Italiaanse gastvrijheid dikwijls omgeslagen in afkeer van en angst voor buitenlanders – waar leuzen als 'Italië voor de Italianen' zeker aan hebben bijgedragen.

Romeinse bars

De bar is een Italiaanse institutie die niet meer is weg te denken uit het dagelijks leven. In de ochtend, op weg naar het werk, komt men hier samen voor een snelle *caffè*, een praatje met de *barista* (barman) of een blik in de gereedliggende kranten, rond het middaguur stilt men in de bar de honger met een kleine *pizzetta*, een *panino* (belegd broodje) of een *tramezzino* (een driehoekige sandwich van witbrood). Later op de dag kan men zich met een *aperitivo* voorbereiden op de avond en vóór het diner wat chips, olijven, een stukje pizza of een ander hapje nemen.

uit het dagelijks leven in Italië

In een bar blijft niemand lang hangen, alles speelt zich af aan de *banco,* de toog. Nadat men aan de kassa de *bon* heeft betaald, is het gebruikelijk om wat kleingeld als fooi op de *banco* te leggen. Wie plaatsneemt aan een van de weinige tafeltjes betaalt over het algemeen het dubbele van het normale tarief – en krijgt niets mee van de nieuwste roddels, de laatste voetbaluitslagen en vooral de virtuositeit van de *barista,* de ware kunstenaar van de espressomachine.

Caffè is in tal van soorten en maten verkrijgbaar. Om te beginnen zijn er de kleine kopjes *espresso.* Wie liever extra sterke koffie heeft, bestelt *ristretto* of *doppio* ('dubbel'), *macchiato* (met een scheutje melk) of *corretto* (met een scheutje grappa). Bijzonder populair is de *cappuccino,* die een Romein echter nooit meteen na het eten zal bestellen. De *caffè lungo,* die met de dubbele hoeveelheid water wordt bereid, lijkt nog het meest op het Nederlandse kopje koffie.

Dolce vita?

Hoewel Rome dikwijls wordt aangeduid als een stad van ambtenaren, werkt slechts elf procent van de werkende bevolking bij de overheid. De dienstverlenende sector is de belangrijkste economische pijler van de stad. Een aanzienlijk deel van de bevolking verdient zijn brood in een van de vele honderden hotels en restaurants, in de toeristenindustrie, de media, bij banken en verzekeringsmaatschappijen of in de mode- en reclamewereld.

Hoewel de lonen over het algemeen boven het Italiaanse gemiddelde liggen, verdient een Romeinse werknemer ongeveer € 1600 per maand. Aanzienlijk meer dan vijftig procent van de gezinnen moet rondkomen met minder dan € 1800, wat gezien het prijsniveau in Rome een haast onmogelijke opgave lijkt.

Op weg in de stad

Toen Francesco Rutelli, de latere burgemeester van Rome, tot milieuminister

Een Romeinse chauffeur met panne. U kunt uw auto het best ergens parkeren, gebruik maken van het openbaar vervoer of de stad te voet verkennen

werd benoemd, reed hij op zijn scooter naar zijn beëdiging. Wie voor zijn werk veel in het *centro storico* moet zijn, kan haast niet buiten een *motorino* – dit vervoermiddel is verreweg de snelste manier om zich in de stad te verplaatsen. De Romeinen scheuren op hun bromfietsen en scooters de lange files voorbij, staan voor stoplichten vooraan in de startblokken, knetteren door de smalste straatjes – en, misschien nog wel het belangrijkst, hoeven nooit lang te zoeken naar een parkeerplaatsje. Voor wie echter langere afstanden moet afleggen, blijven de twee metrolijnen het aangewezen vervoermiddel – ook al komen ze nauwelijks verder dan de stadsgrens. Evenals van het dichte netwerk van busverbindingen maken de Romeinen druk gebruik van de metro.

Wie in de voorsteden woont, die slecht bediend worden door het openbaar vervoer, is echter aangewezen op de auto. Het is dan ook geen wonder dat Rome een van de meest gemotoriseerde steden in Italië is: op de duizend inwoners zijn er ongeveer 710 auto's – wat aan de luchtkwaliteit goed te merken is. Er hangt echter verbetering in de lucht: er wordt al jaren gewerkt aan de verlenging van de metrolijnen, in de binnenstad rijden steeds meer milieuvriendelijke elektrische bussen rond, er worden voortdurend nieuwe voetgangerszones aangelegd, de tramlijnen worden uitgebreid en sinds kort zijn er op verschillende plekken in het oude centrum ook fietsen te huur.

Houd er rekening mee dat gemotoriseerd verkeer niet verplicht is om voor een zebrapad te stoppen. Oversteken is in Rome een kwestie van nonverbale communicatie: wie naar de overkant van de straat wil, geeft dat met een duidelijk handgebaar aan, om vervolgens zonder aarzeling en met gezwinde tred over te steken.

Een staat binnen de stad

Vaticaanstad is een staat binnen de stad. Er wonen momenteel ongeveer 750 mensen, van wie ongeveer 60% Vaticaans staatsburger is. Met de minieme oppervlakte van 0,44 km^2 bedraagt de bevolkingsdichtheid maar liefst 1704 inwoners per km^2 (in vergelijking met Nederland: 398 inwoners per km^2). Vaticaanstad is daarmee de dichtstbevolkte staat ter wereld. Het geboortecijfer is er uiteraard bijzonder laag: slechts 0,0018.

Volgens de enige officiële bron – het Vaticaan zelf – wonen in het bisdom Rome circa 2,5 miljoen katholieken, maar bezoekt slechts 23% van de gelovigen eenmaal per week de mis en komt maar liefst 42% zelden of nooit in de kerk. In tegenstelling tot wat velen menen is niet de Sint-Pieterskerk, maar de San Giovanni in Laterano (zie blz. 77) de bisschoppelijke kerk van Rome. Sinds het concordaat van 1984 is het katholicisme weliswaar niet meer de staatsgodsdienst, maar de macht van het Vaticaan, vooral op het gebied van de moraal, blijft een niet te onderschatten factor in het dagelijks leven in Rome.

De meeste mensen kennen van de kleinste staat ter wereld alleen de Sint-Pieterskerk en de Vaticaanse musea. De poorten van het Vaticaan zijn echter niet potdicht. Via de Porta Santa Anna kunnen ook 'gewone stervelingen' naar binnen, mits ze naar het *Ufficio benedizioni* ('bureau van zegeningen', ma.-za. 9-12 uur) willen. De zegen van de paus is al vanaf € 8 (tot € 30) te krijgen. Alleen Duitstalige bezoekers krijgen toestemming om langs de wachters van de Zwitserse Garde door de Petrianu-poort (of via de toegang met een links van de Sint-Pieterskerk) naar het Campo Santo te lopen, de Duitse begraafplaats die in de tijd van Karel de Grote in gebruik werd genomen.

13

De beste tijd voor een bezoek

De prettigste maanden voor een bezoek aan Rome zijn eind april, mei, begin juni en de periode tussen half september en eind oktober. Het is dan niet zo warm, waardoor u overdag lange wandelingen door de stad kunt maken. De avonden zijn dan echter nog wel zwoel genoeg om tot middernacht op een piazza in de openlucht te dineren. Ook de periode tussen half juni en eind juli heeft zijn bekoringen. De meeste Romeinen pendelen dan tussen de zee en de stad. Rond deze tijd wil de temperatuur wel eens boven de 35°C komen en biedt alleen de *ponentino*, die 's avonds opsteekt, enige verkoeling. Gelukkig kan men zich altijd even opfrissen bij een van de *nasoni*, de drinkfonteintjes. In deze maanden kunt u 's avonds de Estate Romana – de Romeinse culturele zomer – meebeleven. In de parken, aan de Tiber en op verscheidene *piazze* worden dan tal van openluchtevenementen georganiseerd.

Wie in een rustig Rome wil rondwandelen, moet in augustus komen, hoewel het dan wel erg warm kan zijn. Vooral rond *ferragosto* (Maria-

Feiten en cijfers

Ligging: de stad aan de rivier de Tevere (Tiber) ligt op circa 26 km van de kust in de landstreek Campagna Romana, die in het zuiden door het Albaanse gebergte, in het oosten door de uitlopers van de Abruzzen en in het noorden door de Sabijnse heuvels wordt begrensd. De totale oppervlakte van de stad bedraagt 1285 km2, waarvan het historische stadscentrum slechts 143 km2 beslaat. Het Rome uit de oudheid strekte zich uit over de zeven heuvels Palatino, Capitolino, Aventino, Celio, Esquilino, Viminale en Quirinale. Tot in de 19e eeuw vormde de Aureliaanse stadsmuur de stadsgrens van Rome. Sinds 2001 is de stad in 20 *municipi* (stadsdelen) onderverdeeld. Fiumicino (nr. 14) is inmiddels een zelfstandige gemeente.

Bevolking: de stad Rome telt officieel 2,75 miljoen inwoners (heel Italië: 60,3 miljoen), maar het feitelijke aantal ligt waarschijnlijk ruim boven de drie miljoen. Rome is na Londen, Parijs en Madrid de grootste stad van Europa. Ongeveer 9% van de bevolking bestaat uit buitenlanders, van wie de meesten afkomstig zijn uit Roemenië en de Filippijnen.

Bestuur: Rome is hoofdstad van Italië en de zetel van de regering, die momenteel (2010) wordt gevormd door de centrum-rechtse coalitie 'Popolo della Libertà' onder leiding van minister-president Silvio Berlusconi. Het stadsbestuur zetelt op de Capitolino en bestaat uit een gemeenteraad van 60 leden en 15 stadsraden. Sinds april 2008 is de postfascist Gianni Alemanno de burgemeester *(sindaco)* van de stad. Binnen Rome ligt Vaticaanstad, waar sinds 2005 de Duitse paus Benedictus XVI zetelt.

Economie: Rome is goed voor 8% van het bruto binnenlands product van Italië. Circa 83,5% van de beroepsbevolking is werkzaam in de horeca, de bouw, het toerisme, bij de media en in de bank-, verzekerings-, mode- en reclamewereld. Het werkloosheidscijfer bedraagt 8,8%, maar onder jongeren van 15 tot 24 jaar is dat 27,7%.

Tijdzone: midden-Europese tijd (net als Nederland), 's zomers zomertijd.

Partnerstad: Parijs

Hemelvaart) lijkt de stad wel uitgestorven. Veel restaurants en winkels zijn in deze periode dan ook gesloten. November en december zijn de maanden met de meeste neerslag, ook al regent het zelden langer dan drie dagen achter elkaar. Vanwege de ijzige *tramontana* is januari de koudste maand, hoewel de temperatuur vrijwel nooit onder het vriespunt daalt. Januari en februari, dat al met voorjaarstemperaturen kan verrassen, zijn de rustigste maanden. De drukste tijd is rond Pasen, wanneer het Vaticaan geheel in het teken van de *settimana santa* staat.

Het wapen van de stad Rome

Kleding

Ook als de verleiding bij wat hogere temperaturen groot is om zo veel mogelijk huid aan de zon bloot te stellen, moet u zich ervan bewust zijn dat Rome nog altijd bijna 30 km van het dichtstbijzijnde strand verwijderd ligt. De opvallende vrijetijdskleding van veel toeristen ontlokt de Romeinen regelmatig een glimlachje of een hoofdschudden.

In Italië wordt doorgaans grote waarde aan een verzorgd uiterlijk en nette kleding gehecht. De kledingvoorschriften zijn in Rome weliswaar niet zo strikt als in de modehoofdstad Milaan, maar ook hier doet men beslist geen concessies aan de *bella figura* – en elke generatie doet mee. Vooral bij de bezichtiging van kerken en het Vaticaan wordt aangeraden gepaste kleding aan te trekken. Bij de Sint-Pieterskerk kan u de toegang anders zelfs worden ontzegd. Trek daarom geen korte broek of krap rokje aan en bedek ook uw schouders.

Symbolen van de stad

Het wapen van Rome bestaat uit een rood schild met een gouden kroon en de letters SPQR. Dit is niet de afkorting van 'Sono pazzi questi romani ('het gezwam van de Romeinen'), zoals wel

eens spottend gezegd wordt, maar van het Latijnse 'Senatus Populusque Romanus' ('In naam van de senaat en van het Romeinse volk'). Deze spreuk was het motto van het hoogste gezag in het oude Rome en werd door de legioenen op hun vaandels gevoerd. Tegenwoordig staat hij op alle gebouwen van gemeentelijke instellingen, evenals op de gietijzeren riooldeksels van de stad.

Het symbool van de stad is de wolvin, die in de vorm van een Etruskisch bronzen beeldje uit de 6e eeuw v.Chr. onder de naam 'Capitolinische wolvin' te zien is in het Museo Capitolino. Volgens de legende zou het beeldje eerder op het plein voor de San Giovanni in Laterano en later op het plein van het Capitool hebben gestaan. Het heeft betrekking op de bekendste Romeinse mythe: nadat de toekomstige stichters van de stad, Romulus en Remus, de tweelingzonen van de oorlogsgod Mars en de Vestaalse maagd Rhea Silvia, door hun oudoom Amulius in de Tiber waren geworpen, dreven ze naar de oever. Daar werden ze door een wolvin uit het water gehaald en gezoogd, tot de herder Faustulus de kinderen opnam en grootbracht.

15

Het begin en het eind van het Romeinse Rijk

Rome is in 753 v.Chr. gesticht. Eerst regeerden er Etruskische koningen, maar nadat zij in 509 v.Chr. waren verdreven, wordt een republiek uitgeroepen, waar de politieke macht in handen is van twee consuls, die elk jaar wisselen. De snelle ontwikkeling van stadstaat tot wereldrijk brengt interne politieke spanningen met zich mee, die in de laatste eeuw van de republiek in burgeroorlogen en slavenopstanden uitmonden. Een poging van Caesar om zichzelf tot alleenheerser te kronen, moet hij in 44 v.Chr. met de dood bekopen.

Met Augustus, de geadopteerde zoon van Caesar, begint het tijdperk van de Romeinse keizers. De stad, waar in die tijd ongeveer een miljoen mensen wonen, maakt een periode van grote culturele bloei door. Het christendom breidt zich steeds verder uit. In het Edict van Milaan verkondigt keizer Constantijn de gelijkstelling van het christendom met andere religies; in Rome worden de eerste basilieken gebouwd.

In de 4e en 5e eeuw verliest Rome de status van hoofdstad van het Romeinse rijk. Met de afzetting van de laatste West-Romeinse keizer Romulus Augustulus komt in 476 een einde aan de heerschappij van het Romeinse rijk in het westen.

Van de middeleeuwen tot de Italiaanse eenwording

In de vroege middeleeuwen wint de stad aan betekenis als zetel van de paus. In 756 vormen de territoriale giften van de Frankische koning Pippijn III aan de paus (de 'Schenking van Pippijn') de basis voor het ontstaan van de Kerkelijke Staat. Met de kroning van Karel de Grote tot 'Romeins keizer' in het jaar 800 wordt het Romeinse keizerschap – althans in naam – in ere hersteld. De verplaatsing van de curie naar Avignon (1309-1377) luidt voor Rome een tijdperk van verval en machtsstrijd in. Na de terugkeer van de pausen en de beëindiging van het Grote Schisma (1418) wordt het Vaticaan de residentie van de paus. Tijdens de renaissance ontwikkelt zich onder de pausen en adellijke families een bloeiend mecenaat. Michelangelo werkt in die tijd aan de Sixtijnse kapel, Rafaël aan de Stanza en de architect Bramante aan de Sint-Pieterskerk. De 'Sacco di Roma', de plundering van Rome door Duitse en Spaanse troepen, maakt op 6 mei 1527 abrupt een einde aan het renaissancepausschap.

Als antwoord op de uitdaging die het protestantisme vormt, ontwikkelt Rome zich in het kader van de contrareformatie en onder de artistieke leiding van Gian Lorenzo Bernini en Francesco Borromini tot het middelpunt van de barok. In de 19e eeuw raakt Italië in de greep van een beweging die het hele land wil verenigen. Op 20 september 1870 marcheren koningsgezinde troepen door de Porta Pia op naar Rome en wordt de stad de hoofdstad van het verenigd Italië. Vittorio Emanuele II van Piemonte wordt de eerste constitutionele koning.

Van de vereniging van Italië tot het jaar 2000

Het fascistische staatshoofd Mussolini en paus Pius XI sluiten in 1929 het

Verdrag van Lateranen; Vaticaanstad wordt een onafhankelijke staat. In de Tweede Wereldoorlog bombarderen de geallieerden de wijk San Lorenzo. Nog in de laatste oorlogsdagen deporteren de Duitse bezetters onder stilzwijgende goedkeuring van de paus de Joodse inwoners van Rome. Na de oorlog stemmen de Italianen per referendum voor de republiek als staatsvorm. Vanaf de jaren vijftig gaat het Rome economisch voor de wind en neemt de bevolking in snel tempo toe. Na talloze corruptie- en smeergeldaffaires in de jaren negentig heffen veel partijen zichzelf op en gaan onder een nieuwe naam verder.

Een korte culturele opleving

Na het Heilig Jaar 2000 maakt de stad onder de progressieve burgemeester en voormalig minister van cultuur Walter Veltroni (2001-2008) een grote culturele opleving door. Kerken en paleizen worden gerestaureerd, musea die lange tijd gesloten waren heropend, en nieuwe culturele centra als het Casa del Jazz en het Casa del Cinema opgericht. Ook komt er eindelijk ruimte voor hedendaagse kunst en architectuur. De verkeerschaos wordt te lijf gegaan met verbetering van het openbaar vervoer en er komen speciale toeristische busroutes.

Heden en toekomst

In 2008 wordt Silvio Berlusconi met een centrum-rechtse regering, waar ook de Lega Nord en de postfascistische AN deel van uitmaken, voor de derde keer minister-president. In hetzelfde jaar wordt de postfascistische Gianni Alemanno met 53,7% van de stemmen tot burgemeester van Rome gekozen. Hij ging de verkiezingen in met thema's als veiligheid en de uitwijzing van ongeveer 20.000 zigeuners.

Onder Alemanno zou de skyline van Rome wel eens sterk kunnen veranderen. In juni 2010 sprak de burgemeester zich uit voor de bouw van reusachtige torenflats in de Romeinse voorsteden, waarmee hij het vele tientallen jaren bestaande taboe doorbrak dat geen enkel bouwwerk in Rome hoger mag zijn dan de Sint-Pieterskerk.

Waar u ook in Rome bent, de tientallen eeuwen oude geschiedenis van de stad is nooit ver weg, zoals hier op de Via Sacra op het Forum Romanum

Reizen naar Rome

Met het vliegtuig

Vanuit Amsterdam en Brussel vertrekken dagelijks vliegtuigen naar Rome. Ook vanuit Eindhoven, Rotterdam en Brussel Charleroi gaan vluchten naar de stad. Rome beschikt over twee internationale luchthavens.

De luchthaven **Leonardo da Vinci** (doorgaans Fiumicino genoemd) ligt 26 km ten zuidwesten van Rome. De gemakkelijkste verbinding met het centrum is de rechtstreekse trein Leonardo Express, die elk half uur nonstop naar Stazione Termini rijdt (€ 14 per rit, in de trein € 15, reistijd 35 min.). Er gaan ook treinen naar Trastevere, Ostiense en Tiburtina (€ 8, reistijd circa 45 min.); naar Tiburtina rijdt ook een nachtbus (€ 7). Luchthaveninformatie: tel. 06 659 51, adr.it. Vanaf de vroegere militaire luchthaven **Ciampino** op 20 km ten zuidoosten van Rome rijden bussen van Atral en ConTral naar Stazione Termini (€ 4,50, in de bus € 7). U kunt ook de bus nemen naar de eindhalte van metrolijn A (Anagnina; ticket € 1,20, bij de chauffeur).

Vanaf beide luchthavens rijden **pendelbussen** van Sitbusshuttle (vertrektijden afhankelijk van de aankomsttijden van vliegtuigen), enkele reis € 4-8, retour € 8-15, sitbusshuttle. com); vanaf Ciampino rijdt ook Terravision (terravision.eu) naar station Termini (tickets ook online te boeken: enkele reis € 4, retour: € 8, elke 15-45 min., reistijd circa 40 min.). Voor **taxi's** van het vliegveld naar het centrum (binnen de Aureliaanse stadsmuur) gelden vaste tarieven: vanaf Fiumicino € 45, vanaf Ciampino € 35, maximaal vier personen.

Met de trein

Station van aankomst in Rome is veelal het centrale Stazione Termini, maar soms ook het in het noordwesten van Rome gelegen Stazione Tiburtina. Vanuit het laatstgenoemde station kunt u metrolijn B naar Termini nemen. Vanaf beide stations rijden ook taxi's. Inlichtingen en reserveren: **FS Trenitalia**, tel. 89 20 21 (inlichtingen binnen Italië), tel. 06 68 47 54 75 (vanuit het buitenland), ferroviedellostato.it. Andere informatieve sites waar tickets online kunnen worden besteld zijn b-rail.be; treinreiswinkel.nl en nmbs-europe.com.

Met de bus

Eurolines Nederland verzorgt een busverbinding met Rome; opstapplaatsen Amsterdam, Utrecht, Den Haag, Rotterdam en Breda. Meer informatie: eurolines.nl of bij het hoofdkantoor in Amsterdam (tel. 020 560 87 88).

Ook Eurolines België rijdt op Rome, maar dan moet veelal in Milaan worden overgestapt. Opstapplaatsen zijn Antwerpen, Brussel, Leuven en Luik. Voor nadere informatie kunt u terecht op eurolines.be of bij het kantoor in Brussel (tel. 02 274 13 50).

Met de auto

Zowel op de Italiaanse als de Zwitserse snelwegen dient tol te worden betaald. Met de Viacard (verkrijgbaar aan de Italiaanse grens, bij servicestations langs de autostrada en bij de ANWB) bespaart u zich de lange wachttijden bij de tolporten. Bij Viacard-poorten kunt u ook met de gangbare creditcards betalen. In de buurt van Rome stuit u op de G.R.A. (Grande Raccordo Anulare), de ringweg rond Rome, waar in het noorden de A 1 (Autostrada del Sole, Florence-Rome) en in het westen de tolvrije rijksweg S 1 (Via Aurelia) op uitkomen.

Reizen in Rome

Met de metro

De twee metrolijnen kruisen elkaar alleen bij Stazione Termini. De treinen rijden zeer frequent: ma.-za. om de 3-8 min. van 5.30-23.30 uur (za. tot 1.30 uur). 's Nachts rijden de buslijnen 55 N (lijn A) en 40 N (lijn B) dezelfde route.

Met bus en tram

Rome beschikt over een dicht netwerk van buslijnen en zes tramlijnen. Bussen in de binnenstad rijden ma.-za. 6-22 uur om de 10-20 min., zo. om de 20-40 min. De laatste bussen vertrekken tussen 24 en 1 uur. In het historische oude centrum rijden kleine, maar vaak erg volle elektrische bussen: lijn 116 (Porta Pinciana-Piazza Navona-Vaticaan), 117 (San Giovanni in Laterano-Colosseum-Scalinata di Spagna) en 119 (Piazza del Popolo-Via del Corso-Piazza Venezia-Scalinata di Spagna). Het Vaticaan is bereikbaar met bus 64 of sneldienst 40 (op deze lijnen zijn veel zakkenrollers actief). Vanaf 0.30 uur rijden om de 20-30 min. nachtbussen – de haltes zijn aangegeven met een 'N'.

Kaartjes: voor metro, bus en tram zijn kaartjes verkrijgbaar bij automaten op de metrostations, kiosken en vaak ook in bars en tabakswinkels. Enkele reis (B.I.T.) € 1 (75 min. geldig), dagkaart (B.I.G.) € 4, drie dagen (B.T.I.) € 11, weekkaart (C.I.S.) € 16.

atac.roma.it: website van de Romeinse vervoersbedrijven met interactieve stadsplattegrond en zoekmachine voor de beste bus- en tramverbindingen. Ook Engels- en Duitstalig. Voor busvervoer in de regio Lazio: cotralspa.it; metro: metroroma.it.

Met de taxi

De taxitarieven zijn vergelijkbaar met die in Nederland en België. Instaptarief circa € 2,80, zon- en feestdagen € 4. Het is beslist af te raden een van de talrijke illegale taxi's te nemen, die toeristen vooral bij het station of de luchthaven opwachten en aan het eind van de rit exorbitante bedragen verlangen. Officiële taxi's zijn wit of geel en beschikken over een meter en een naam (bijv. Francia 69). Tel.: 06 06 09.

Met de auto

Het is verstandig om uw auto in Rome in een parkeergarage te zetten. Grote delen van het historische centrum zijn voor niet-bewoners afgesloten of alleen met speciale toestemming (bijvoorbeeld in- en uitladen bij uw hotel) toegankelijk. Het verbod wordt met videoapparatuur gehandhaafd. Autoverhuurbedrijven zijn te vinden op het vliegveld Fiumicino en bij Stazione Termini. U kunt via tal van websites van tevoren reserveren.

Met scooter en fiets

Wie in navolging van Gregory Peck met de Vespa door Rome wil scheuren, moet stalen zenuwen hebben. Minder enerverend is een fietstochtje door de Villa Borghese of op zondag, als delen van de binnenstad en de Via Appia Antica voor auto's zijn afgesloten. Inlichtingen over fietsen in Rome: biciroma.it. De huur van een Vespa bedraagt € 30-50 per dag, een fiets kost € 3-5 per uur en € 10-15 per dag.

Verhuurbedrijven: Bici & Baci, Via Viminale 5 (bij de Piazza della Republica), tel. 06 48 98 61 62, bicibaci.com. **Scooter Hire,** Via Cavour 80, tel. 06 481 56 69, scooterhire.it. **Bici Pincio,** Viale di Villa Medici in Viale della Pineta (Villa Borghese), tel. 06 678 43 74, kinderfietsen, mountainbikes en tandems. **Ronconi,** Via delle Belle Arti 54/56 (Villa

Praktische informatie

Borghese), tel. 06 881 02 19, ronconi biciclette.it.

Sinds 2010 is er ook een netwerk van **openbare fietsverhuurpunten:** momenteel 19 locaties met meer dan 150 fietsen. Hiervoor meldt u zich met een legitimatie aan bij een ATAC-punt (bijvoorbeeld het metrostation bij het hoofdstation of de Piazza di Spagna). U krijgt een chipkaart (eenmalig € 10) met een verplicht startbedrag van € 5. Vervolgens kost elke 30 min. € 0,50. Inlichtingen: atac-bikesharing.it.

Douane

Evenals voor alle andere landen van de Europese Unie volstaat ook voor de reis naar Italië een geldig paspoort of een geldige Europese identiteitskaart. Als u met de auto gaat, dient u bovendien een geldig rij- en kentekenbewijs en – voor auto's ouder dan drie jaar – een APK-keuringsbewijs bij u te hebben. Verder dient u in het bezit te zijn van een groene verzekeringskaart. Wie langer dan drie maanden wil blijven, heeft een verblijfsvergunning *(permesso di soggiorno)* nodig. Binnen de EU mogen reizigers alle goederen voor eigen gebruik belastingvrij in- en uitvoeren.

Feestdagen

1 januari (Capodanno): Nieuwjaar
6 januari (Epifania): Driekoningen
Tweede Paasdag (Pasquetta)
25 april (Anniversario della Liberazione): nationale feestdag
1 mei (Festa del Lavoro): Dag van de Arbeid
2 juni (Festa della Repubblica): herdenking van de stichting van de republiek
29 juni (Santi Pietro e Paolo): het alleen in Rome gevierde feest van de schutspatronen van de stad

15 augustus (Ferragosto / Assunzione SS. Vergine): Maria-Hemelvaart
1 november (Ognissanti): Allerheiligen
8 december (Immacolata Concezione): Onbevlekte Ontvangenis
25 en 26 december (Natale): Kerst

Feesten en festivals

Befana, 5 en 6 jan.: in deze nacht komt de heks Befana op haar bezem aangevlogen om de kinderen een kous vol lekkernijen en cadeautjes te brengen. 'Stoute' kinderen vinden 'stukjes houtskool' van suiker in hun kous.
Carnaval: gemaskerde optochten in de stad, met name over de Via Nazionale en de Via dei Fori Imperiali.
Festa delle Donne, 8 mrt.: internationale vrouwendag. Vrouwen krijgen mimosaboeketjes cadeau.
San Giuseppe, 19 mrt.: dag van de H. Jozef en vaderdag.
Maratona di Roma, half mrt., maratonadiroma.it: de marathon van Rome, waarbij amateurs zich met de beroemdste marathonlopers ter wereld meten.
Giornata FAI di Primavera, weekend in mrt. of apr., fondoambiente.it.: open dag voor tal van monumenten.
Moa Casa, eind mrt. en eind okt., cooperativamoa.com: designbeurs voor meubels op het beursterrein van Rome.
Festa delle Palme: op palmzondag worden in de kerken gewijde olijftakken uitgedeeld.
Pasen, eind mrt. / apr.: op Witte Donderdag verricht de paus een voetwassing in de San Giovanni in Laterano. Op Goede Vrijdag gaat hij voor in een nachtelijke mis op de Palatino en een kruiswegprocessie bij het feestelijk verlichte Colosseum, die live op televisie wordt uitgezonden. Op de middag van paaszondag spreekt de paus voor de Sint-Pieterskerk het meertalige 'Urbi et Orbi' uit.

Natale di Roma, 21 apr: op het Capitool wordt de stichting van Rome herdacht.

Settimana della Cultura, apr. / mei, be niculturali.it: een groot aantal musea en monumenten – waaronder sommige die anders niet voor het publiek toegankelijk zijn – opent een week lang gratis zijn deuren.

Festa del Lavoro, 1 mei: Italiaanse en buitenlandse popsterren verzorgen op De Dag van de Arbeid gratis optredens op de Piazza San Giovanni. Van de vroege middag tot ver na middernacht komen er honderdduizenden bezoekers.

Mostra dell'Antiquariato, mei: boeken- en antiekmarkt op de Via dei Coronari, in de buurt van de Piazza Navona.

Roma Nascosta, eind mei en begin juni, museiincomuneroma.it: archeologische vindplaatsen en monumenten die anders moeilijk toegankelijk zijn worden geopend voor het publiek.

San Pietro e San Paolo, 29 juni: in de ochtend wordt een feestelijke mis in de Sint-Pieterskerk opgedragen. Het bronzen standbeeld van Petrus met de afgesleten voet wordt dan in pauselijke gewaden gehuld.

Expo Tevere, juni / juli: kunstnijverheidsbeurs aan de oever van de Tiber.

Operafestival, juni-aug., operaroma.it: in de Thermen van Caracalla.

Fiesta, juni-aug., fiesta.it: festival van Latijns-Amerikaanse muziek en cultuur in het Ippodromo delle Capannelle.

Estate Romana, juni-sept., estateroma na.comune.roma.it: het culturele zomerfestival van Rome.

Festa de'Noantri, 15 juli: een twee weken durend, sterk vercommercialiseerd volksfeest in Trastevere met een processie, veel evenementen en grote hoeveelheden *porchetta*. Ter afsluiting wordt een groot vuurwerk afgestoken.

Romaeuropa Festival, sept.-nov., ro maeuropa.net: cultureel festival met muziek, toneel en dans, op verschillende locaties.

Festival internazionale del Cinema, eind okt., romacinemafest.org: internationaal filmfestival in het Casa del Cinema.

Festival Internazionale di Musica e Arte Sacra, eind okt.-nov., festivalmu sicaaertesacra.net: concerten in de basilieken van Rome.

Medfilm-festival, nov., medfilmfesti val.org: filmfestival van de landen rond de Middellandse Zee, rond thema's als werk en identiteit.

Natale (Kerstfeest): op 24 december wordt een nachtmis in de Sint-Pieterskerk opgedragen. Op 25 december bezoeken duizenden gelovigen het Sint-Pietersplein om de pauselijke zegen 'Urbi et Orbi' te ontvangen.

Veglia di Capodanno (oudejaarsavond): op 31 dec. zijn de pleinen van de stad het toneel van vuurwerk, rock- en popconcerten.

Gevonden voorwerpen

Bureau voor gevonden voorwerpen: Circonvallazione Ostiense 191, tel. 06 67 69 32 14, ma.-vr. 8.30-13, do. tot 17 uur.

Gezondheid

Voor uw vertrek: sluit voor vertrek altijd een reisverzekering af. Zorg er daarbij voor dat u ook een goede ziektekostenverzekering heeft, want uw eigen verzekeraar vergoedt niet altijd alle in het buitenland gemaakte geneeskundige kosten. Een reisverzekering blijft daarom noodzakelijk, wilt u niet zelf voor allerlei hoge kosten komen te staan (denk bijvoorbeeld aan de kosten voor vervoer naar huis per ambulance of vliegtuig, kosten voor extra overnachtingen, enz.).

Openbare ziekenhuizen zijn 24 uur per dag geopend, bijvoorbeeld het kinderziekenhuis Ospedale del Bambino Gesù: Piazza S. Onofrio 4, tel. 06 685 91; Policlinico Umberto I: Viale del Policlinico 155, tel. 06 499 71 (centrale); Ospedale Fatebenefratelli: Isola Tiberina (Tiebereiland), tel. 06 683 71 (centrale), 06 68 37 299, -324 (eerste hulp); Policlinico Gemelli: Via della Pineta Sacchetti 644 / Largo Gemelli 8, tel. 06 301 51 (centrale).

Apotheken hebben dezelfde openingstijden als de winkels. Bij iedere apotheek hangt een overzicht van nacht- en weekenddiensten. De Farmacia della Stazione (Piazza Cinquecento 51, hoek Via Cavour) en de Farmacia Piram Omeopatia (Via Nazionale 228) zijn 24 uur per dag geopend. De Vaticaanse apotheek (Porta Santa Anna) beschikt over niet-Italiaanse medicijnen en verkoopt ook op basis van recepten van niet-Italiaanse artsen.

Informatie

Italiaans verkeersbureau

In België: ENIT, Louiselaan 176, 1050 Brussel, tel. 0032 2 64 71 154, enit.it, enit-info@infonie.be.

Toeristeninformatie in Rome

Inlichtingen bij de talrijke **InfoPavillons (P.I.T.)** in de binnenstad, op het station en op de luchthaven; dag. 9.30-19 uur, turismoroma.it. Telefonische inlichtingen bij het **Call-Center:** tel. 06 06 08, dag. 9-19.30 uur, 060608.it.

Rome op internet

Landencode Italië: it
Veel Italiaanstalige sites hebben ook een Engels- en/of Duitstalige versie. Wie specifieke informatie zoekt, kan beter een Italiaanse zoekmachine (bijv. google.it of virgilio.it) gebruiken dan een Nederlandse variant.
http://rome.startpagina.nl

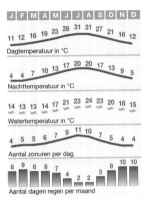

Klimaatdiagram van Rome

http://rome.startkabel.nl
Prima startsites met tal van links over diverse onderwerpen.
rome.nl: overzichtelijke Nederlandstalige site met een schat aan informatie over onder meer winkelen, musea, vervoer en uitgaan. Mogelijkheid tot het online boeken van vliegreizen, hotels en auto's.

turismoroma.it: de officiële site van het Romeinse toeristenbureau (ook Engelstalig) is geheel afgestemd op de wensen van toeristen. Naast de vele tips over accommodatie, verkeer, stadswandelingen en excursies vindt u hier ook actuele informatie over evenementen, musea en bezienswaardigheden.

vatican.va: de officiële website van het Vaticaan geeft in zes talen (waaronder Engels en Duits) informatie over actuele gebeurtenissen en bekendmakingen van de paus. Bovendien treft u er een liturgische kalender en allerlei nuttige informatie over de Vaticaanse musea en bibliotheken.

romeguide.it: Engels- en Italiaanstalige site met nuttige informatie over hotels, restaurants, winkels, bezienswaardigheden, evenementen en excursies. Ook online kaartverkoop voor theatervoorstellingen en concerten.

romace.it: evenementenkalender voor toneel, concerten, tentoonstellingen en bioscopen; tevens veel informatie over bars, restaurants en winkelen.

info.roma.it: goede overzichtssite voor culturele evenementen.

2night.it: alles over het uitgaansleven in Rome, met tips voor theatervoorstellingen en cafés (ook in het Engels).

Kinderen

Een hoogtepunt voor *bambini*, ook als ze Asterix nog nooit gelezen hebben, is nog altijd het **Colosseum** (zie blz. 42), waar u uw kind met een van de gladiatoren kunt fotograferen. Kerkbezoeken vinden de meeste kinderen saai, maar een klim naar de **koepel van de Sint-Pieterskerk** (zie blz. 48) om het interieur van de kerk en Rome van boven te bekijken zal de meesten wel bevallen. In het **Castel Sant' Angelo** (zie blz. 64) kunnen kinderen griezelen in de donkere omlopen en kleine gevangeniscellen, en zich vergapen aan stenen kanonskogels.

Villa Borghese (zie blz. 56) met zijn boemeltje, pony's en een meertje met roeibotenverhuur is vooral bij wat hogere temperaturen een van de populairste bestemmingen voor gezinnen. In het weekend worden er leuke marionettenvoorstellingen van het Napolitaanse kindertheater San Carlino gegeven. Ten slotte is er een dierentuin met een kinderboerderij (Bioparco) in het park.

De favoriete speelplaatsen van veel Romeinse kinderen zijn de uitgestrekte

Veiligheid en noodgevallen

Qua veiligheid onderscheidt Rome zich nauwelijks van andere grote Europese steden; neem dus de gebruikelijke voorzorgsmaatregelen in acht. Op drukke plekken, zoals de metro, bussen (vooral lijn 40/64 naar het Vaticaan is berucht), of de vlooienmarkt van Porta Portese moet u oppassen voor zakkenrollers. Kijk vooral uit voor bedelende kinder- en jeugdbendes. Wandelingen na zonsondergang door de Villa Borghese en andere parken zijn af te raden. Bij diefstal kunt u zich het beste tot de Questura Centrale wenden, waar meestal wel een Engels- of Duitstalige tolk aanwezig is (Ufficio Stranieri, Via Genova 2, tel. 06 46 86).

Alarmnummers

Algemeen alarmnummer: 113, carabinieri: 112, ambulance / eerste hulp: 118, Rode Kruis: 06 55 10, hulp bij autopech: ACI (Italiaanse automobielvereniging) tel. 80 31 16, brandweer: 115

Diplomatieke vertegenwoordigingen

Nederlandse ambassade:
Via Michele Mercati 8, 00197 Rome, tel. 06 32 28 60 01, olanda.it, rom@minbuza.nl
Belgische ambassade:
Via dei Monti Parioli 49, 00197 Rome, tel. 06 360 95 11, diplomatie.be/romenl, rome@diplobel.fed.be

Praktische informatie

Villa Ada in de buurt van de Catacomben van Priscilla, **Villa Sciarra** met zijn fantastische vegetatie, de vlak bij de binnenstad gelegen **Villa Celimontana** en de uitgestrekte **Villa Pamphili**. Op de **Gianicolo**, waar elke dag om 12 uur een kanonschot wordt afgevuurd, is een fantastisch panoramisch terras – en het poppentheater doet kinderogen glanzen (di.-vr. 16-19, za. en zo. 10.30-13 uur).

Bij regenachtig weer kunt u met kinderen terecht in het **Museo della Civiltà Romana** (Piazza G. Agnelli 10, metro: Laurentina, lijn B, di.-za. 9-14, zon- en feestdagen 9-13.30 uur), waar een enorme maquette van het oude Rome is opgesteld.

Een bezoek aan de **catacomben** aan de Via Appia of een speurtocht onder de kerk **San Clemente** (zie blz. 76) zal erg in de smaak vallen bij kinderen die wel van een beetje griezelen houden.

Klimaat en reisseizoen

De aangenaamste periodes voor een bezoek aan Rome zijn de lente en de herfst. Al in juni, maar vooral in juli en augustus, kan het bijzonder warm zijn, met gemiddelde temperaturen van boven de 30°C. November, december en februari zijn de maanden met de meeste neerslag (zie ook blz. 14).

Openingstijden

Winkels: 9/10-13/14, 16-20 uur; in het centrum zijn de meeste winkels de hele dag geopend (en houdt men dus geen lange middagpauze). Levensmiddelenzaken zijn in de winter op donderdagmiddag en in de zomer op zaterdagmiddag gesloten. Alle overige winkels zijn in de winter op maandagochtend en in de zomer op zaterdagmiddag dicht. In augustus zijn veel winkels vanwege vakantie gesloten.

Banken: 8.30-13.30, 14.15/15-15.30/16.15 uur.

Hoofdpostkantoor: Piazza S. Silvestro, ma.-vr. 8.30-18.30, za. 8.30-13 uur.

Reizen met een handicap

Rome is, in tegenstelling tot Vaticaanstad, moeilijk toegankelijk voor gehandicapten. Het openbaar vervoer, zoals de metro, is nauwelijks aangepast. Voor informatie over de metro: 06 70 30 52 48, atac.roma.it. De informatieve site handyturismo.it, met informatie over hotels, restaurants en bezienswaardigheden, is helaas alleen in het Italiaans beschikbaar.

Roken

'Vietato fumare'! In Italië is sinds 2005 de strengste antirookwetgeving van Europa van kracht. In alle openbare ruimten, waaronder restaurants, cafés, discotheken en kantoren, is roken verboden. De enige uitzonderingen zijn aparte rookruimten met een afzuiginstallatie.

Sport en activiteiten

Beauty en wellness

Mooie wellnesscentra en beautyfarms met vakkundig personeel zijn vooral te vinden in de grote hotels, zoals het luxueuze **Hotel De Russie** (Via del Babuino 9, tel. 06 32 88 81, hotelderussie.it), **Hilton Cavalieri** (Via A. Cadlolo 101, tel. 06 35 09 29 50, cavalieri-hilton. it) en **Crowne Plaza Saint Peter's** (Via Aurelia Antica 415, tel. 06 664 27 40, saturniaspa.com). Ook gasten die niet in deze hotels logeren kunnen er terecht.

Golf

De oudste golfclubs van de stad zijn: **Aquasanta** (▶ buiten L 8), Via Appia

Passe-partouts

De **Roma Pass** (€ 25, romapass.it) is drie dagen geldig en biedt vrij toegang tot de eerste twee opgravingsterreinen of musea die u bezoekt; voor andere musea en opgravingsterreinen hebt u recht op korting. Bovendien kunt u met de pas gebruikmaken van het lokale openbaar vervoer.

De **Roma Archaeologia Card** (€ 23,50 / met korting € 13,50) geldt 7 dagen en geeft gratis toegang tot de volgende musea en opgravingsterreinen: alle vestigingen van het Museo Nazionale Romano, Colosseum, Palatino, Thermen van Caracalla, mausoleum van Caecilia Metella en Villa dei Quintili.

Het **ticket Museo Nazionale Romano** (€ 7 / met korting € 3,50) geeft 3 dagen recht op vrije toegang tot alle vestigingen van het Museo Nazionale Romano.

Met de **Capitolini Card** (€ 8,50 / met korting € 6,50) kunt u binnen zeven dagen de Musei Capitolini en de Centrale Montemartini bezoeken.

Met de **Appia Antica Card** (€ 6 /met korting € 3) hebt u vrij toegang tot de Thermen van Caracalla, de Villa dei Quintili en het Mausoleum van Cecilia Metella (zeven dagen geldig).

De Roma Pass is in alle musea, bij opgravingsterreinen, de P.I.T.'s (zie blz. 22) en online verkrijgbaar; voor alle andere kaarten kunt u bij de deelnemende bezienswaardigheden terecht.

Bij speciale exposities wordt vaak een toeslag geheven.

In de meeste gemeentelijke en alle staatsmusea betalen EU-burgers onder de 18 en boven de 65 jaar geen toegang, jongeren van 18 tot 25 jaar krijgen 50% korting.

Nuova 716, tel. 06 780 34 07, golfroma.it, metro: Colli Albani (A), dan verder met bus 663, 664, en **Arco di Costantino** (▶ buiten D 1), Via Flaminia 2 km-markering 15,8, tel. 06 33 62 44 40, golfarco.it, dag. beh. ma., metro: Flaminio (A), vandaar met Roma Nord tot Prima Porta, dan met de taxi. Beide zijn 18-holes banen.

Joggen

Veel joggers lopen hun rondjes in het uitgestrekte **Villa Borghese**, in het **Parco di Porta** (▶ G 8) achter de Thermen van Caracalla of in **Villa Ada.** Vanwege het heuvelachtige landschap is ook **Villa Pamphili** bijzonder populair. In het **Parco della Caffarella** zijn archeologische en sportieve interesses goed te combineren. Het park is bereikbaar via de Via Appia (tussen Via Appia Antica en Via della Caffarella, bus

218). Ook wordt er veel gejogd in **Villa Torlonia** (▶ K 2), een betoverend park met jugendstilhuizen en classicistische bouwwerken (toegang via Via Nomentana, bus: 60, 84). Wie liever op de baan dan in het park loopt, kan in het **Stadio dei Marmi**, het Romeinse atletiekstadion, zijn rondjes draaien.

Skaten

De Viale dell'Obelisco / Viale delle Magnolie in **Villa Borghese** (▶ E/F 2) is een populaire ontmoetingsplaats van skaters; hier is ook een verhuurder van skatebenodigdheden te vinden.

Voetbal

Op sportgebied is voetbal nog altijd de grootste passie van de Romeinen. Deze sport weet de stad – en soms zelfs families – in twee kampen te verdelen: aan de ene kant de blauw-witte Laziali (supporters van **S.S. Lazio**), aan de andere kant de rood-gele Romanisti (supporters van **AS Roma**). De meeste wedstrijden worden op zondag gespeeld in het Stadio Olimpico (ten noorden van D 1, metro: Ottaviano (A), daarna verder met bus 32). De jaarlijkse hoogtepunten zijn natuurlijk de derby's tussen AS Roma en Lazio Roma. Pas op dat u niet terecht komt in confrontaties tussen de supporters! Wie zich onder de *tifosi* wil mengen, moet ruim van tevoren kaartjes aanschaffen (€ 15-130, tickets voor AS Roma: tel. 06 50 19 11, voor S.S Lazio: tel. 06 32 37 33).

Zwemmen

In Rome is er maar een beperkt aantal openluchtbaden. Het buitenbad **Piscina delle Rose** (Viale America 20, wijk EUR, piscinadellerose.it, metro: Fermi (B), ma.-zo. 9-22 uur, toegang € 8-16) is van juni tot september voor iedereen vrij toegankelijk. Buiten Rome liggen aantrekkelijke waterpretparken: **Aquafelix Parco Acquatico** bij Civitavecchia (aquafelix.it) en **Aquapiper** bij Guidonia (aquapiper.it). De **Thermen van Tivoli** zijn onlangs gerestaureerd. Het 23°C warme, zwavelhoudende water biedt verlichting bij reuma, huid- en ademhalingsproblemen. Tivoli Terme: Acque Albule, Via Tiburtina Valeria, kmmarkering 22, 700, Tivoli, tel. 077 43 54 71, termediroma.org. Bereikbaar via de A 24 Roma-L'Aquila, afslag Tivoli of Lunghezza; via de GRA afslag 13 Via Tiburtina en met de Cotral-bus vanaf Metrostation Ponte Mammolo (B).

Telefoon en internet

Internationale toegangsnummers: Nederland +31, België +32, dan het netnummer zonder de nul, vervolgens het abonneenummer. Vanuit Nederland of België naar Italië 0039, dan het hele nummer (dus inclusief de nul van het netnummer). Voor **openbare telefoons** hebt u een telefoonkaart nodig

---

Duurzaam reizen

Duurzaam toerisme wil zeggen dat de reiziger verantwoording neemt voor milieu en maatschappij. Hier vindt u enkele tips en websites met aanbevelingen waar u op uw reis naar Rome rekening mee kunt houden.

In plaats van de auto kunt u in de stad beter de metro en bus nemen, of nog beter: de fiets (zie blz. 19). Ook zijn er in Rome verschillende biologische restaurants en gelegenheden met een typisch regionale keuken. Voor ecologische producten en uit de regio afkomstige levensmiddelen kunt u het best terecht op de markten. Het is beslist de moeite waard een bezoek te brengen aan de 'Stad van de andere economie' (zie blz. 60).

millenniumreiziger.be/toerisme-en-milieu: portal met tal van links over milieuvriendelijk toerisme, opgezet in verband met de Millenniumdoelstellingen die de Verenigde Naties in 2000 hebben geformuleerd.

http://romabiologica.com: Italiaanstalige site met informatie over biologische landbouw in en rond Rome, met adressen van biologische winkels, restaurants en bedrijven.

slowfoodroma.it: naar aanleiding van de opening van een McDonald's-filiaal bij de Scalinata di Spagna zette Carlo Petrini in 1986 de *slow food*-beweging op. Sindsdien heeft de beweging, die zich inzet voor lekker, kwalitatief hoogwaardig eten met regionale producten, in heel Europa een hoge vlucht genomen.

Rondritten en rondleidingen

Voor wie de voorkeur geeft aan een individuele stadsrondrit, maar toch wel een minimale toelichting wil hebben, zijn de rondritten van de **Trambus Open** vanaf het busstation Termini (Piazza dei Cinquecento) zeer geschikt. Met een dagkaart, die u vooraf bij de kassa koopt, of (met korting) online, kunt u in- en uitstappen waar u maar wilt.

De rode, open dubbeldekker **110 Open** rijdt langs de klassieke bezienswaardigheden (dag. 8.30-20.30 uur, om de 10 min., audioguide in Engels of Duits, ticket € 20 / € 15, geldig 24 uur, combiticket met Archeobus mogelijk: € 30 / € 20, 48 uur geldig). Een rit met de **Archeobus** voert via de Bocca della Verità en Circus Maximus naar de Via Appia Antica en de Villa dei Quintili (dag. 9-16.30 uur, om de 30 min., ticket € 15 / € 10, geldig 24 uur). Info: trambusopen.com. Sinds kort is de groene dubbeldekker **Rome open tour**, die eveneens vanaf busstation Termini vertrekt, een alternatief voor de 110 Open. Tickets verkrijgbaar in de bus of online (dag. 9-20 uur, 's zomers tot 23 uur, om de 15 min., duur circa 2 uur, ticket € 20 / € 12, romeopentour.com).

De wit-gele (de kleuren van de Vaticaanse vlag) dubbeldeksbus **Roma Cristiana** (dag. 9-19 uur, om de 20 min., met audioguide in Engels of Duits, ticket € 17) rijdt voornamelijk langs de kerken van de stad.

Sinds enkele jaren is het mogelijk **rondvaarten op de Tiber** te maken. Er vaart een boot heen en weer tussen het eiland in de Tiber en de Ponte Santa Angelo (met audioguide, € 15 / € 10). Inlichtingen: battellidiroma.it.

RomaCulta: een groep kunsthistorici organiseert **cultuur- en stadsrondleidingen** van een halve of een hele dag (alleen in het Duits). Een rondleiding van drie uur kost circa € 120-140 voor maximaal vijf personen. Info: romaculta.it.

Rome actief: het team van **Sight Jogging** verzorgt 's morgens vroeg (circa 6 uur) joggingtochten (8,5-10,5 km) door de ontwakende stad (hele jaar; 45-60 min., 1 persoon € 70, 4 personen € 140 plus BTW. Info: sightjogging.it of mobiel 347 335 31 85 en 349 758 85 69).

TRAMJazz: een rit door het avondlijke Rome in een tram uit de jaren veertig, beginpunt: Piazza di Porta Maggiore. Aansluitend diner van verschillende gangen en een muzikaal intermezzo van bekende jazzmusici in de schaduw van het Colosseum. Duur circa 3 uur, prijs € 59 + € 6 reserveringskosten. Reserveren verplicht: tramjazz@ yahoo.it, tel. 339 63 34 700 of 338 11 47 876. Info: tramjazz.com.

(*scheda telefonica;* voor gebruik dient u de geperforeerde hoek af te scheuren). Telefoonkaarten zijn te koop in tabakswinkels, kiosken en in veel bars. **Mobiele telefoons** functioneren bijna overal in Italië. Om de kosten te beperken is aan te raden een Italiaanse prepaidkaart van Tim, Tiscali, Vodaphone of Wind aan te schaffen.

Nummerinformatie: binnenland 12 54, 89 24 24 of 12 40, buitenland 41 76. **Internetpoints en -cafés** zijn in het *centro storico* overal te vinden. Met Romawireless kan men draadloos tot 1 uur (soms zelfs tot 3 uur) gratis surfen. De gebruikte standaard is 802.11b. Inlichtingen: romawireless.com.

De 15 hoogtepunten

Rome is een fascinerende stad. Een bezoek is als een spannende tijdreis tussen heden en verleden, een uitdaging voor alle zintuigen. Neem de tijd om te genieten van alles wat er te zien, te horen, te ruiken en te proeven is. In deze vijftien hoogtepunten van Rome maakt u kennis met tal van bezienswaardigheden, buurten en musea die Rome uniek maken.

① De mooiste pleinen van Rome – Piazza Navona en Campo de' Fiori

Kaart: ▶ D/E 4/5
Vervoer: Bus: 40, 64

Een bezoek aan Rome betekent niet dat u zich door alle musea heen moet worstelen (dat zou ook bijna ondoenlijk zijn, want er zijn er meer dan 150), iedere Romeinse ruïne dient te verkennen of alle kerken van Rome in alfabetische volgorde moet aflopen! Nee, gelukkig is het veel eenvoudiger. Neem rustig de tijd, slenter over de Romeinse pleinen en snuif de echte Italiaanse sfeer op.

Doe als de Romeinen. Ga 's ochtends boodschappen doen op een van de markten, bijvoorbeeld op de Campo de' Fiori, waar de kooplieden al om 6 uur hun *bancarelle* opzetten, om vervolgens luidkeels hun waren aan te prijzen. Tussen vis, fruit en groente discussieert men over de geheimen van de Romeinse keuken, de voetbaluitslagen of de laatste strapatsen van de minister-president.

Het volkse Rome

De **Campo de' Fiori** ① is een van de levendigste pleinen van Rome. In tegenstelling tot veel andere pleinen in de stad is hier geen *palazzo* of kerk te bekennen. In de middag, als de drukte van de markt geleidelijk ten einde loopt, openen de trattoria's hun deuren, wat later gevolgd door de wijnbars en cafés. En kom 's avonds weer terug om u in het bruisende nachtleven te storten: nu staan er honderden jonge mensen met een glas wijn of een biertje op het plein. Het samenzijn, en niet het drinken, staat op de voorgrond.

Slachtoffer van de inquisitie

Ook vroeger kwam men al bij elkaar op het Campo de' Fiori, maar dan met een heel ander doel: in de tijd van de inquisitie vonden hier terechtstellingen plaats. Het standbeeld van Giordano Bruno herinnert aan deze tijd: deze dominicanermonnik had zijn steun betuigd aan de leer van Copernicus, die beweerde dat de aarde om de zon draait en niet andersom. Daarom werd hij in het Heilig Jaar 1600 door de Romeinse inquisitie veroordeeld tot de dood op de brandstapel. Pas in 1898, toen dit deel van Rome niet meer tot de Kerkelijke Staat behoorde, kon er een monument voor hem worden opgericht.

Een amusementsplein

Slechts een klein eindje verder, aan de overkant van de Corso Vittorio Emanuele, ligt de **Piazza Navona** ❷, die wordt omringd door in bonte kleuren geschilderde *palazzi*. De talloze terrasjes zijn geliefd bij zowel Romeinen als toeristen. Hier is al meer dan tweeduizend jaar van alles te doen. De langgerekte vorm van het plein herinnert aan zijn functie in de oudheid: onder keizer Domitianus werd op deze plek omstreeks 80 n.Chr. een sportstadion aangelegd. Duizenden Romeinen vermaakten zich hier niet alleen bij sportevenementen als wagenrennen, maar ook in de omliggende herbergen, gaarkeukens en bordelen.

De Vierstromenfontein

Verreweg het opvallendste architectonische accent werd halverwege de 17e eeuw onder paus Innocentius X aangebracht. De in het Palazzo Pamphili opgegroeide paus gaf Borromini opdracht de **Santa Agnese in Agone** ❸ (di.-zo. 9-12 en 16-19 uur) te bouwen en vroeg Bernini om de centrale **Fontana dei (Quattro) Fiumi** ❹ vorm te geven. Vier mannenfiguren aan de voet van een Egyptische obelisk symboliseren de vier rivieren *(quattro fiumi)* die de vier destijds bekende continenten Europa, Afrika, Azië en Amerika vertegenwoordigen: de Donau, Nijl, Ganges en Río de la Plata. De obelisk (in feite een heidens monument) werd 'gekerstend' door hem te versieren met een duif met een olijftak in de snavel – het christelijke symbool van de vrede en tevens het heraldische symbool van de familie Pamphili.

Onder dezelfde paus, die nog meer fonteinen op het plein liet aanleggen, werden in de warme maand augustus waterspelen gehouden: het hele plein werd onder water gezet, prelaten en edelen reden er om het hardst met hun rijtuigen en het volk plonsde in het verkoelende water.

Het met cafés omzoomde plein is tegenwoordig het toneel van mimespelers, goochelaars, portrettekenaars, muzikanten en vuurvreters. Voor de merkwaardig gevormde riviergoden in de Vierstromenfontein van Bernini hadden de bewoners van Rome al snel een verklaring: de Nijl sluit zijn ogen omdat hij het kerkelijke gedrocht ertegenover – gedoeld wordt op de Santa Agnese van Bernini's tegenhanger Borromini – niet meer kan aanzien, en de Rio della Plata heft zijn handen ten hemel omdat hij bang is dat de kerk weldra zal instorten... Een mooi verhaal, maar helaas werd de kerk een paar jaar na de fontein gebouwd.

• •

Naast de deur

In de buurt van de Piazza liggen tal van bezienswaardigheden, zoals het nationale museum **Palazzo Altemps** ❺ (zie blz. 84), met een imposante collectie beelden uit de oudheid, de kerk **Santalvo alla**

Sapienza ❻ (Corso del Rinascimento 40, alleen zo. 9-12, mis 9.30 uur), waarvan de spiraalvormige koepel als een van de meesterwerken van Borromini wordt beschouwd, en de **Santa Agostino** ❼ (Piazza di Santa Agostino 80, dag. 7.30-12.30, 16-18.30

uur) met de 'Pelgrimsmadonna' van Caravaggio, die vanwege de uiterst realistische stijl ooit aanleiding vormde tot een schandaal.

Traditionele satire

Een bijzondere vorm van protest is tot op de dag van vandaag blijven bestaan. Sinds de 16e eeuw kent men het gebruik om spotverzen, waarin de politiek en politici op de korrel worden genomen, aan het beeldje van **Pasquino** 8 te hangen. Aanvankelijk dichtte men in het Latijn, later in het Italiaans en tegenwoordig in het Romeinse dialect.

Eten en drinken

Rond beide pleinen liggen tal van (aperitief-)bars als **Société Lutece** 1

(Piazza di Montevecchio 17, zie blz. 95) en **Fluid** 2 (Via del Governo Vecchio 46, zie blz. 107), evenals een groot aantal restaurants. Waar u ook van houdt, hier is altijd iets te vinden, of u nu in een voorname omgeving wilt dineren, de traditionele Romeinse keuken wilt proberen of alleen een *pizza alla romana* eten. Bijzonder aan te bevelen is **Obikà** 3, de eerste mozzarellabar van Rome, met uitzicht op de Campo (Piazza Campo de' Fiori / hoek Via dei Baullari, tel. 06 68 80 23 66, obika.it, dag. 8-2 uur, vanaf 18 uur aperitief, vanaf € 7). In het traditionele **Ditirambo** 4 (Piazza della Cancelleria 74, tel. 06 687 16 26, ristorantediti rambo.it, dag. 's middags en 's avonds, ma. middag gesl., à la carte € 36) is het altijd druk.

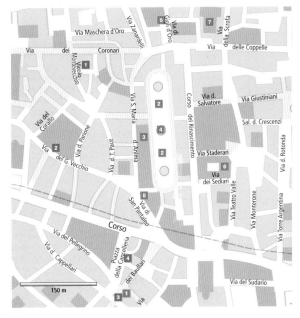

2 Kunst en illusie – het Palazzo Spada

Kaart: ▶ D 5/6
Vervoer: Bus: 40, 64

De mondaine palazzi van pausen, kardinalen en mecenassen bepalen ook nu nog het stadsbeeld van Rome. Het Palazzo Spada is het meest speelse en eigenzinnige paleis van de stad.

In de middeleeuwen verschansten de machtige families zich nog in van kantelen voorziene burchten en hoge torens, maar na de terugkeer van de pausen uit hun ballingschap in Avignon brak een tijd van grote culturele en architectonische bloei aan. Overal in de stad verrezen representatieve *palazzi* en villa's. Met deze bouwwerken demonstreerden de geestelijke en wereldlijke hoogwaardigheidsbekleders hun macht en liefde voor kunst.

Een kardinaal waardig

Dicht bij het hectische Campo de' Fiori ligt het barokke **Palazzo Spada** 1. Dit paleis is aan het begin van de 16e eeuw in opdracht van kardinaal Girolamo Capo di Ferro gebouwd, maar werd al snel daarna verkocht aan kardinaal Bernardino Spada, die Borromini opdracht gaf het paleis te verfraaien. De voorgevel is versierd met stucwerk en in maniëristische stijl vervaardigde beelden van heersers van het oude Rome, zoals Augustus, Caesar en Pompeius. De beelden op de binnenplaats – eveneens in maniëristische stijl – stellen mythologische figuren voor.

Een illusie

De grote publiekstrekker van het Palazzo Spada is het beroemde schijnperspectief van de **Colonnade van Borromini**, een schijnbaar eindeloze gang. Pas bij nauwkeuriger beschouwing wordt duidelijk welke kunstgreep Borromini heeft toegepast: de wanden lopen naar elkaar toe, de vloer loopt omhoog, het plafond wordt geleidelijk lager en de afstanden tussen de zuilen

– evenals de zuilen zelf – worden steeds kleiner. De eerste zuil van de colonnade tussen twee binnenplaatsen is nog 5,68 m hoog, de laatste slechts 2,47 m. Het op het oog kolossale standbeeld aan het eind ontpopt zich uiteindelijk als maar 80 cm hoog en de galerij zelf blijkt slechts 9 m lang. Kardinaal Spada omschreef dit *trompe l' oeil* als: 'een wonder van kunst, het symbool van een bedrieglijke wereld. Ook al lijken ze nog zo groot, voor wie ze nader beschouwt zijn ze alle dingen slechts klein. In deze wereld is het grote niets anders dan illusie'.

Fraaie vertrekken

Spada was ook een fervent kunstverzamelaar en onderhield vriendschappelijke betrekkingen met de belangrijkste kunstenaars van zijn tijd. De collectie op de eerste verdieping van de **Galleria Spada** omvat werken van Rubens, Titiaan, Guido Reni en Andrea del Sarto. De kardinaal, die een tijd lang de pauselijke nuntius aan het hof van Catharina de Medici was, versierde zijn *piano nobile* (verdieping waar zich de hoofdvertrekken bevonden) met gestucte galerijen en perspectivische landschapschilderingen – zijn ideaal was een 'klein Italiaans Fontainebleau'. De grootste bezienswaardigheid is de Pompeiuszaal, waar een meer dan levensgroot beeld van de veldheer staat dat, zo wordt vermoed, ooit in het voorportaal van het Theater van Pompeius stond. Als dat waar is, zou Caesar vlak bij dit beeld zijn doodgestoken. Tegenwoordig biedt het *palazzo* onderdak aan de Italiaanse Raad van State.

Info en openingstijden

Palazzo Spada: ingang naar de Galleria Spada: Via Polverone 15b, di.-zo. 8.30-19.30 uur; € 5 / € 2,50. Het Palazzo is toegankelijk op elke eerste zo. van de maand om 10.30, 11.30, 12.30 uur, toegang € 6, reserveren verplicht, tel. 06 683 24 09, tour@gebart.it.

Nog meer paleizen

In de onmiddellijke nabijheid staan nog meer belangrijke paleizen, zoals het **Palazzo Farnese** ❷ (zie blz. 85), een prachtig voorbeeld van de hoogrenaissance, en het **Palazzo della Cancelleria** ❸, een van de eerste renaissancepaleizen van Rome, waar tegenwoordig de pauselijke rechtbank is gevestigd die over de ontbinding van kerkelijk gesloten huwelijken beslist.

Eten en drinken

Ristorante Pancrazio dal 1922 ❶ (Via del Biscione 92, tel. 06 686 12 46, dapancrazio.it, do.-di. 12.30-15, 19.30-23 uur, wo. gesl., circa € 40) is interessant voor zowel liefhebbers van lekker eten als van oudheden: het is gebouwd op de overblijfselen van het Theater van Pompeius. In het souterrain kan men eten tussen de zuilen en kapitelen van het oude theater.

❸ Het echte Rome – Trastevere

Kaart: ▶ C-E 6-7
Vervoer: Bus: H, Tram: 8

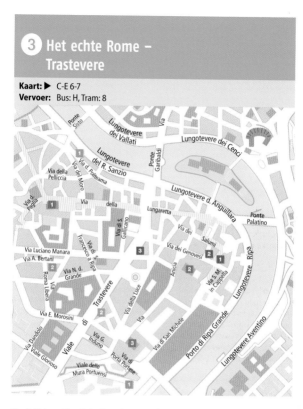

Dankzij de authentieke Romeinse sfeer, de bochtige straatjes en oude kerken is Trastevere een van de populairste wijken van de stad. Na het invallen van de duisternis stroomt de voormalige armeluiswijk vol met Italianen en toeristen, die zich het eten in de pizzeria's en trattoria's goed laten smaken.

In Trastevere, zo beweren de *trasteverini*, wonen de echte Romeinen, de *romani de' roma*. Met trots wijzen ze op

hun dialect – dat ook voor veel Italianen moeilijk te volgen is – en hun eenvoudige Romeinse keuken. Er komen echter steeds minder echte *trasteverini*. In de straten hoort men steeds meer Engels en Duits en in de gerenoveerde woningen, waar tegenwoordig forse huren voor moeten worden neergeteld, wonen steeds meer welgestelde buitenlanders. Toch heeft deze wijk, die al in de tijd van keizer Augustus bestond, zijn haast dorpse sfeer en charme goed weten te bewaren.

Een gezellige woonwijk

Een wandeling door de straatjes van Trastevere is een schilderachtige belevenis. U komt langs honderden winkeltjes, van groentezaken tot de ateliers van traditionele ambachtslieden. Op warme dagen staan de bewoners voor hun deur met elkaar te kletsen en in de Via del Cedro en Vicolo della Scala hangt nog steeds de meest gefotografeerde was van Rome te drogen.

Trastevere is echter veel meer dan een folkloristisch plaatje. In deze wijk is de christelijke lekenbeweging Santa Egidio opgericht, de 'Verenigde Naties van Trastevere', die al verschillende keren is voorgedragen voor de Nobelprijs voor de Vrede en ondertussen vestigingen over de hele wereld heeft (sant egidio.org).

De bioscoop Nuovo Sacher (Largo Ascianghi 1) van regisseur Nanni Moretti, waar films uit de hele wereld worden gedraaid, trekt grote scharen filmliefhebbers. Sinds de tijd dat de wijk vanwege zijn lage huren vooral werd bewoond door kunstenaars zijn er tal van winkels met schildersbenodigdheden en galeries gevestigd, bijvoorbeeld in de Via degli Orti d'Alibert.

Schitterende kerken

Het centrum van de autoluwe wijk is **Piazza Santa Maria in Trastevere** **1**, waar een van de oudste Mariakerken van Rome staat (dag. 7.30-20 uur, san tamariaintrastevere.org). Ondanks latere verbouwingen kunt u in deze kerk nog vrij goed zien hoe aan vroegchristelijke basiliek eruit zag. Aan de voet van de uit de Thermen van Caracalla afkomstige zuilen strekt zich een prachtige, met mozaïeken ingelegde marmeren vloer uit. De grootste bezienswaardigheid van de kerk bestaat uit de omstreeks 1140 vervaardigde goudkleurige mozaïeken in de apsis, die een haast naïeve indruk maken. Ze stellen

Christus op een troon en Maria als koningin van de hemel voor. Heel anders zijn de enkele eeuwen later vervaardigde mozaïeken over het leven van Maria van de hand van Pietro Cavallini, die met hun levendige figuren haast een soort stripverhaal in steen vormen. Als 's avonds omstreeks 20.30 uur de Romeinse basisgemeente Santa Egidio hier komt bidden en het interieur prachtig verlicht is, heerst er een heel aparte sfeer.

Aan de overkant van de drukke Viale Trastevere strekt het stille gedeelte van de wijk zich uit. Een oase van rust is de kerk **Santa Cecilia** **2**, waaronder restanten van een groot wooncomplex uit de oudheid zijn ontdekt. Het uiterst realistische beeld van de gemartelde heilige voor het altaar is van de hand van Stefano Maderno (1575-1636). In het nonnenkoor (toegang via de linkerzijbeuk, ma.-za. 10.15-12.15, zon- en feestdagen 11.15-12.15 uur) zijn de kleurige fragmenten te bewonderen van het omstreeks 1293 geschilderde fresco 'Het Laatste Oordeel' van Pietro Cavallini, een van de belangrijkste werken van de Romeinse schilderkunst uit de middeleeuwen.

In de **San Francesco a Ripa** **3** (ma.-za. 7-12, 16-19, zon- en feestdagen 7-13, 16-19.30 uur), enkele straten verder, staat het grafmonument 'Heilige Ludovica Albertoni in verzoeking' (vierde kapel in de linker zijbeuk), een werk dat het genie van de barok, Bernini, op hogere leeftijd heeft vervaardigd van verschillende tinten marmer, waardoor het – mede dankzij de indirecte verlichting – een buitengewoon levensechte indruk maakt.

Een uitgaanswijk

Met zijn ontelbare *trattorie, enoteche* en kroegjes is Trastevere, vooral de Piazza Santa Maria, van oudsher de populairste uitgaanswijk van Rome.

De Piazza Santa Maria, het middelpunt van de uitgaanswijk Trastevere

Overdag doet de sfeer dorps aan, in de avonduren stromen de restaurants vol met liefhebbers van de Romeinse keuken, terwijl straathandelaren hun waren uitstallen en straatartiesten en -musici naar de gunst van het publiek dingen.

Een goed punt om de avond te beginnen is de Piazza Trilussa met de trendy bar **Freni e Frizioni** 1 (Via del Politeama 4-6, tel. 06 45 49 74 99, freniefrizioni.com, dag. vanaf 19 uur, vanaf € 5), een aperitiefbar die gevestigd is in een voormalige garage. Naar een pizzeria of restaurant hoeft u nooit ver te zoeken. Enkele prima gelegenheden zijn **Asinocotto** 1 (Via dei Vascellari 48, tel. 06 589 89 85, asinocotto.com, *pranzo* (lunch): ma.-vr. 12-14.30, *cena* (diner): di.-zo. 19.30-23 uur, menu: circa € 40), waar creatieve vlees- en visgerechten op tafel komen, en **Spirito DiVino** 2 (Via dei Genovesi 31, tel. 06 589 66 89, spiritodivino.com, ma.-za. alleen 's avonds, menu: € 35-40) met een uitstekende, traditionele keuken. De drukke pizzeria **Ai Marmi** 3 (Viale di Trastevere 53-59, tel. 06 580 09 19, do.-di. 18.30-2.30 uur) leent zich uitstekend voor een hapje tussendoor.

⠿⠿⠿⠿⠿⠿⠿⠿⠿⠿⠿⠿⠿⠿⠿⠿⠿⠿⠿⠿⠿⠿

Vlooienmarkt

Elke zondag van 6.30-12 uur wordt in de Via Portuense, Via Ippolito Nievo en bij de **Porta Portese** 1 de grootste en populairste vlooienmarkt van Rome gehouden. Wie op zoek is naar curiositeiten zal hier zijn vingers aflikken. Met enig geluk tikt u er een koopje op de kop. Ook is er een grote schoenen- en kledingmarkt. Levensmiddelen, bloemen en huishoudelijke artikelen vindt u op werkdagen op de markt van Trastevere op de **Piazza S. Cosimato** 2.

Muziekclub

Big Mama 2 (Vicolo San Francesco a Ripa 18, tel. 06 581 25 51, bigmama.it, okt.-juni dag. 21.30-1.30 uur) is hét adres voor bluesconcerten, maar ook het toneel voor internationale jazzmuzikanten en songwriters.

4 De navel van de wereld – Forum Romanum, Palatino en Capitool

Kaart: ▶ F-G 6-7
Vervoer: Metro: Colosseo (B), Bus: 60, 75, 84

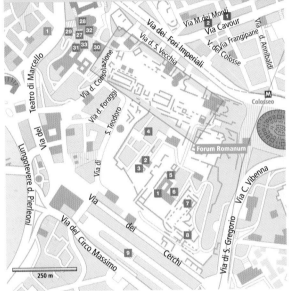

Wat is er overgebleven van de schitterende paleizen van de keizers? Waar ging Cicero tekeer tegen Catilina? Waar werden de triomftochten van de 'onoverwinnelijke legioenen' gehouden? Een wandeling over het opgravingsterrein geeft ook nu nog een goede indruk van wat ooit de 'navel van de wereld' werd genoemd.

De Palatinoheuvel (in het Nederlands de Palatijn genoemd), kunt u het best vroeg in de morgen bezoeken, als er nog niet veel bezoekers zijn. Volgens de overlevering heeft Romulus, een van de stichters van de stad, hier gewoond. Een maquette van het eerste uit hutten bestaande dorp is te zien in het **Museo Palatino** 1. In de tijd van de keizers ontwikkelde de Palatino zich tot de wijk waar invloedrijke Romeinen als Cicero en Augustus (die hier ook werd geboren) woonden. Het **Casa di Livia** 2 en het **Casa di Augusto** 3, met hun magnifieke fresco's, stammen uit de tijd van Augustus. Nadat keizer Tiberius zich hier had gevestigd werd de naam van de heuvel synoniem met de keizerlijke residentie. Tegenwoordig wordt de wijk gekenmerkt door de imposante bouwwerken van keizer Domitianus en het **tuincomplex van kardinaal Alessandro Farnese 4** uit de 16e eeuw, met laurierstruiken, sinaasappelbomen en cipressen.

De residentie van Domitianus bepaalt het beeld in het centrale deel van de Palatino. De ontvangstruimte, de **Domus Flavia 5**, lag rond een binnenplaats met zuilen. Naar verluidt liet Domitianus alle zuilen met spiegelende stenen versieren, om eventuele moordenaars die het op hem hadden voorzien in verwarring te brengen.

Nog indrukwekkender zijn de op verschillende verdiepingen gesitueerde privévertrekken van de keizer, de **Domus Augustana 6**, die hoge muren, asymmetrische wanden en overkoepelde zalen hebben. In het aangrenzende **Stadio Palatino 7**, een langgerekte arena, vonden sportwedstrijden en voorstellingen plaats. Vanaf de **zuilengalerij van Septimus Severus 8** aan de oostkant van de Palatino hebt u een prachtig uitzicht, evenals van de zuidzijde van de heuvel, die uitkijkt op het **Circus Maximus 9**. In de oudheid werden hier de populairste wagenrennen van Rome gehouden. Via de Triomfboog van Titus bereikt u het Forum Romanum.

Het Forum Romanum – middelpunt van het oude Rome

Al vroeg in de geschiedenis was de vlakte tussen de heuvels een ontmoetingspunt van de diverse volken uit dit deel van Italië. In de loop van de tijd ontwikkelde het Forum zich van het centrum van de stad tot het middelpunt van het Romeinse wereldrijk, en werden er op en rond het plein tal van monumenten, triomfbogen, beelden, erezuilen en tempels opgetrokken.

Op de reliëfs van de **Boog van Titus 10** werd triomfantelijk de buit uit de Joodse Oorlog (70 n. Chr.) afgebeeld, waaronder een zevenarmige kandelaar. De **Basilica di Massenzio 11**, het grootste in de vorm van een hal opgetrokken bouwwerk uit de oudheid, oogt imposant. De gigantische zuilen dienden de renaissance-architect Bramante als voorbeeld bij de bouw van de Sint-Pieterskerk. Basilieken, zoals de Basilica di Massenzio en **Basilica Iulia 12**, deden tevens dienst als rechtbank of dienden, zoals de **Basilica Aemilia 13**, als markthal voor kooplieden en geldwisselaars.

De **ronde tempel van Romulus 14** werd door keizer Maxentius ter herinnering aan zijn jong gestorven zoon gebouwd – in het oude Rome werden niet alleen tempels ter ere van de goden opgericht, maar ook voor keizers die na hun dood werden vergoddelijkt.

Aan de **tempel van Antoninus Pius 15** en zijn vrouw Faustina is te zien hoe met enkele eenvoudige ingrepen een heidense tempel in een christelijke kerk is veranderd. Op dezelfde hoogte aan de linkerkant staan het **huis van de Vestaalse maagden 16** en de kleine **ronde tempel van Vesta 17**, waar de kuise priesteressen het heilige haardvuur brandend hielden.

Terwijl de Pontifex Maximus (de opperpriester) vanuit de **Regia 18**, de voormalig zetel van de Etruskisch koningen, over de naleving van de rituele handelingen waakte, kwamen de circa driehonderd senatoren en het plebeïsche volkstribunaat van het Romeinse rijk bijeen in de **Curia 19**. In tegenstelling tot wat dikwijls wordt beweerd werd Caesar niet hier door Brutus vermoord, maar in het Theater van Pompeius in de buurt van het huidige Campo de' Fiori. De **Triomfboog**

Overigens: wilt u er zeker van zijn niet van grafrovers te kopen? Neem dan eens een kijkje in het winkeltje **Archeo Art**  (Via del Teatro di Marcello 12) bij het Capitool. Hier zijn perfecte kopieën te koop van antieke vazen, gouden sieraden van filigreinwerk, marmeren bustes van keizers en gladiatorenhelmen.

van keizer Septimus Severus **20** is opgericht ter ere van zowel de keizer als diens beide zonen Caracalla en Gaeta, die na de dood van hun vader gezamenlijk de macht overnamen. Nadat Caracalla zijn broer had gedood, liet hij diens naam uit de inscriptie verwijderen.

In de **Rostra** **21**, de redenaarstribune links naast de triomfboog, werden openbare debatten gehouden. Dit was de politieke tribune voor onder andere de gebroeders Gracchus, die hier op welsprekende wijze voor sociale hervormingen pleitten, en voor Cicero, die in een vlammende redevoering de samenzwering van Catilina openbaar maakte. De *umbilicus urbis*, de **Navel van de Wereld** **22**, symboliseerde het centrum van het Romeinse wereldrijk.

Op de **Milliarium Aureum** **23**, de gouden mijlsteen, waren de afstanden naar belangrijke Romeinse steden aangegeven. De met basaltstenen geplaveide **Via Sacra** **24** voert langs de overblijfselen van de **Tempel van Vespasianus** **25** (rechts) en de **Tempel van Saturnus** **26** (links) naar het Capitool.

Niet altijd zijn de overblijfselen van het Forum zo goed te zien geweest als nu. Na de ondergang van het Romeinse rijk raakten ook de prachtige, met marmer bedekte bouwwerken in verval. In de loop van de volgende eeuwen werden de stenen gebruikt voor de bouw van kerken en paleizen,

en raakte het Forum bedekt onder een dikke laag stof, aarde en vegetatie. De opgravingen, die nog steeds niet voltooid zijn, begonnen aan het eind van de 19e eeuw.

Het machtscentrum van Rome

De steile heuvel **Capitolino** **27** was in de oudheid het religieuze en politieke centrum van Rome. Op de plek van de huidige kerk **Santa Maria in Aracoeli** **28** bevonden zich de munterijen en de tempel van Juno Moneta ('zij die waarschuwt'). In de loop der tijd werd de naam 'Moneta' ook voor munten gebruikt. Tijdens de renaissance gaf paus Paulus III Michelangelo opdracht Campidoglio opnieuw vorm te geven.

De trap **Cordonata** **29**, die bewaakt wordt door de Dioscuren ('Zonen van Zeus') Castor en Pollux – de beschermers van Rome – leidt niet naar het Forum, maar van de Piazza Venezia naar de Piazza del Campidoglio. In het **Palazzo dei Senatori** **30** zetelt tegenwoordig het stadsbestuur van Rome. De tweelingpaleizen aan weerszijden, het **Palazzo dei Conservatori** **31** en het **Palazzo Nuovo** **32** (17e eeuw), bieden onderdak aan de Musei Capitolini (zie blz. 84). In het midden van de stervormig bestrate Piazza del Campidoglio staat een kopie van het bronzen **ruiterstandbeeld** **33** van de Romeinse keizer Marcus Aurelius (2e eeuw).

Info en openingstijden

Palatino, **Forum Romanum en Colosseum:** dag. 8.30 uur tot 1 uur voor zonsondergang, 's winters tot 16.30, apr.-sept. tot 19 uur. De kassa sluit 1 uur eerder. Voor de volgende bezienswaardigheden kunnen de openingstijden variëren:

Casa di Augusto: ma., wo., za., en zo. 11 uur tot 1 uur voor sluitingstijd, maximaal vijf bezoekers per keer.

Arcaden van Severus: alleen di., do. en vr. toegankelijk.

Casa di Livia: bij het ter perse gaan van deze gids stonden de openingstijden nog niet vast.

Inlichtingen: tel. 06 39 96 77 00, pierreci.it

Toegang

De ingang en de kassa bevinden zich aan de Via S. Gregorio (Palatino) en de Largo della Salara Vecchia 5-6 (kruising Via dei Fori Imperiali / Via Cavour); u kunt het terrein ook verlaten bij de Triomfboog van Titus en en die van Septimus Severus. Er zijn geen aparte kaartjes te koop, maar alleen tickets voor het hele terrein:

1. Colosseum, Forum Romanum, Palatino: € 12 / met korting € 7,50, twee dagen geldig
2. Archeologia Card
3. Roma Pass (zie blz. 25).

Eten en drinken

Altijd een bezoek waard is de gezellige **Trattoria Valentino** **1** (Via Cavour 293, za.-do. 12-15 uur, € 20), waar ook buiten tafeltjes staan. Een goed adres voor lekkere hapjes en goede wijn is de traditionele **Enoteca Cavour 313** **2** (Via Cavour 313, tel. 06 678 54 96, cavour313.it, dag. 12.30-14.45, 19.30-0.30 uur). Deze gezellige gelegenheid biedt met meer dan duizend wijnen een overweldigende keus. Ook worden er uitstekende *antipasti*, pasta's, kaas- en hamspecialiteiten geserveerd.

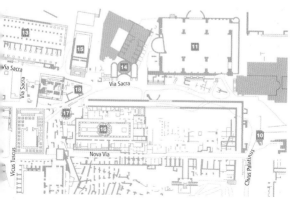

Kaart: ▶ G 6
Vervoer: Metro: Colosseo (B)

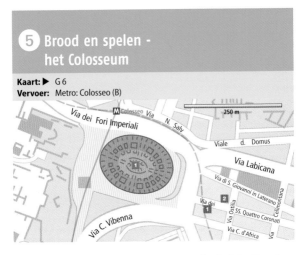

Brood en spelen – zo luidde het intussen over de hele wereld bekende motto van het Colosseum. In het reusachtige amfitheater werd het Romeinse volk vermaakt met gladiatorengevechten en gevechten tussen wilde dieren. De bovenste rangen van het imposante bouwwerk bieden een indrukwekkend uitzicht op de arena en het lagergelegen deel van het Colosseum.

Het **Colosseum** 1 is samen met het Pantheon het best bewaard gebleven monument uit de oudheid. Het was al vroeg het symbool van Rome. Een voorspelling uit de 9e eeuw luidt: 'Zolang het Colosseum bestaat, zo lang blijft Rome bestaan. Als het Colosseum valt, dan valt ook Rome'.

Een amusementsfabriek uit de oudheid

Waar ooit het kunstmatige meer van het Domus Aurea – het Gouden Huis van Nero – lag, liet keizer Vespasianus in 72 een amfitheater bouwen, dat later de naam Colosseum kreeg. *Panem et circenses* – gesubsidieerde brooduitdeling en gratis spelen – luidde het motto waarmee de Romeinse heersers en ambitieuze politici het volk rustig hielden en voor zich probeerden in te nemen. Het Colosseum is in slechts zeven jaar tijd gebouwd door circa 40.000 slaven. Daarbij werd gebruik gemaakt van ongeveer 100.000 m³ travertijn, evenals 300 ton ijzer, waarvan beugels werden vervaardigd om de steenblokken te verankeren. In de middeleeuwen, waarin grote behoefte bestond aan ijzer van goede kwaliteit, zijn deze vrijwel allemaal verwijderd – alleen de talloze gaten in het travertijn herinneren er nog aan.

Acht jaar na het begin van de bouw wijdde Titus, de zoon van keizer Vespasianus, het Colosseum in met een honderd dagen durend festival. Na de val van het Romeinse rijk raakte het theater zwaar beschadigd door branden en aardbevingen, en in de renaissance werd het gedeeltelijk afgebroken; de stenen werden gebruikt voor kerken en *palazzi*.

Paus Benedictus XIV riep het Colosseum uit tot een christelijk gedenkteken: hij geloofde dat het theater een belangrijke rol had gespeeld bij de bloedige christenvervolgingen, hoewel daar geen historisch bewijs voor is. Ook nu nog staat er een reusachtig kruis aan de noordzijde van de arena en wordt er op Goede Vrijdag in het Colosseum een mis opgedragen.

Inspiratiebron voor architecten

De buitengevel, die bestond uit drie concentrische arcaden, heeft grote invloed gehad op de architectuur van latere eeuwen. De door halfzuilen omlijste arcaden zijn volgens een strenge ordening opgetrokken: op de eerste verdieping ondersteunen ze Dorische, op de tweede Ionische en op de derde Korinthische kapitelen. Vele eeuwen later werd deze dikwijls gekopieerde ordening naar Romeins voorbeeld aangeduid met de term 'kolossale orde'. In

Overigens: sinds 1999 is het Colosseum ook een gedenkteken tegen de doodstraf. Als ergens ter wereld een land de doodstraf afschaft of een doodvonnis niet wordt uitgevoerd, is het gebouw in een groen licht gehuld.

gaten in uitstekende muurblokken op de vierde verdieping waren houten palen verankerd, die als ondersteuning dienden voor een reusachtig zeil van linnen, dat met behulp van touwen en katrollen over de zitplaatsen werd gespannen om de toeschouwers tegen de felle zon te beschermen. Aan de noordzijde van het Colosseum zijn nog vijf van dergelijke stenen houders te onderscheiden.

Een perfecte organisatie

In tegenstelling tot de bezoekers van tegenwoordig hoefden de Romeinen in de oudheid, die gekleed in hun witte toga's naar de spelen togen, slechts zelden in de rij te staan. Voorzien van gratis toegangsbewijzen konden de

Het Colosseum – een van de bekendste symbolen van Rome

toeschouwers – het Colosseum bood plaats aan 50.000 man – zich bij een van de 76 genummerde toegangen melden. Wie om het gebouw heen loopt, ziet op tal van plekken op de onderste arcaden nog de Romeinse cijfers bij deze toegangen.

De meeste toeschouwers arriveerden ruim voordat de spelen begonnen, waarna iedereen plaats nam op de hem toegewezen rang. De keizer en zijn familie, de Vestaalse maagden en de consuls stonden op de 4 m hoge hoofdtribune rond de arena. Aangezien de spelen dikwijls een volle dag duurden, werd tussendoor iets gegeten, zoals kip, fruit of olijven. Archeologen hebben in de riolering overblijfselen van deze levensmiddelen ontdekt.

De bodem van de arena bestond uit houten planken, die met zand waren bestrooid. Interessant zijn de gewelven onder de arena – hier bevonden zich de dierenkooien, de vertrekken waar de gladiatoren zich omkleedden, opslagruimtes voor requisieten, sanitaire voorzieningen en kerkers voor de gevangenen. Geavanceerde technische snufjes, van verplaatsbare podia tot goederenliften, boden tal van mogelijkheden voor speciale effecten – met meer dan honderd voorstellingen per jaar moesten steeds weer nieuwe spektakels worden verzonnen.

Ave Caesar, morituri te salutant!

Het programma duurde meestal een hele dag. Vroeg in de morgen werden dierengevechten gehouden, waarbij wilde dieren – leeuwen, tijgers, krokodillen, beren, giraffes en neushoorns – in allerlei combinaties tegen elkaar werden opgezet. Niet zelden lagen in de avond honderden dode dieren in de onderaardse gangen.

Tegen de middag streden veroordeelden met blote handen tegen wilde dieren tot de dood erop volgde. Het was niet de bedoeling de toeschouwers met eenvoudige slachtpartijen te vervelen. Daarom werden de veroordeelden voor ze moesten opkomen verkleed, bijvoorbeeld als Orpheus.

De gladiatorengevechten begonnen pas in de namiddag. Gladiatoren, die op uiteenlopende wijze waren bewapend, waren vaak krijgsgevangenen, slaven of veroordeelden, maar er waren ook vrijwilligers, die in de arena roem hoopte te vergaren. Wie was verslagen kon alleen nog hopen op de genade van het publiek. Aan het eind van een gevecht besliste het volk met een handgebaar over leven of dood van de verliezer – wie dapper had gevochten, had kans om het te overleven. Voor het uit films over de Romeinse tijd bekende gebaar met de duim bestaat overigens geen historisch bewijs.

● ●

Openingstijden en toegang

Colosseum: dag. van 8.30 tot 1 uur voor zonsondergang, 's winters tot 16.30, april-sept. tot 19 uur. De kassa sluit een uur eerder. Combiticket voor het Colosseum, Forum Romanum en Palatino: € 12 / met korting € 7,50 (twee dagen geldig). Tip: u kunt de lange rijen bij de kassa omzeilen door de Roma Pass (zie blz. 25) aan te schaffen of door online te boeken bij pierreci.it.

Eten en drinken

Voor een assortiment lekkere kleine gerechten en salades kunt u terecht bij bistro **Cafè Cafè** **1**, waar ook buiten tafeltjes staan (Via dei SS. Quattro Coronati 44, tel. 06 700 87 43, dag. 11-1 uur, schotels vanaf € 7). Bij **Pasqualino** **2** (Via dei SS. Quattro Coronati 66, di.-zo. 12-15.30 en 19-23 uur, à la carte € 25) komen enorme porties op tafel. Ook hier kunt u buiten zitten.

6 In het centrum van de Alta Moda – Spaanse Trappen en omgeving

Kaart: ▶ F 3
Vervoer: Metro: Spagna (A), Bus: 117, 119

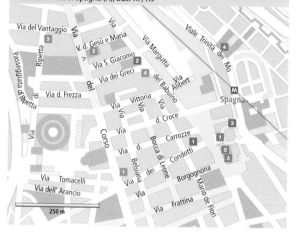

Het gebied rond de Spaanse Trappen ademt al eeuwenlang een kosmopolitische sfeer. Hier vestigden zich kunstenaars, schrijvers en musici uit alle landen; ze ontmoetten elkaar in cafés, waarvan vele ook nu nog bestaan. De voormalige kunstenaarswijk vormt tegenwoordig het middelpunt van de Alta Moda.

De Piazza di Spagna met de **Scalinata di Spagna (Spaanse Trappen)** 1 mag u niet missen. Het beroemdste trappencomplex in de openluchtster wereld, dat aan de voet van de Franse kloosterkerk SS. Trinità dei Monti ligt, was oorspronkelijk bedoeld als een demonstratie van de macht van Frankrijk.

Er zou zelfs een monument ter ere van Lodewijk XIV worden opgericht – een plan dat op gespannen voet stond met de machtsaanspraken van de paus en dan ook diens woede opriep. Na veel vijven en zessen werd de opdracht voor het ontwerp van de trappen toegekend aan de pauselijke architect; in plaats van een monument voor Lodewijk XIV liet paus Pius VI er een met een kruis bekroonde obelisk opstellen.

Tegenwoordig lopen de perspectivisch aangelegde trappen tussen de Franse kerk en de Barcacciafontein, die wordt toegeschreven aan Pietro Bernini, de vader van de bekende Gian Lorenzo. Ze hebben hun naam te danken aan de nabijgelegen Spaanse ambassade bij de Heilige Stoel.

45

Op de beroemde Spaanse Trappen is het altijd druk

Kunstenaars en buitenlanders

Rond de Spaanse Trappen heerst een internationale sfeer. Dit deel van Rome kan bogen op een lange traditie. Aangezien het niet ver van de Porta del Popolo lag, de toegangspoort voor alle bezoekers uit het noorden, ontwikkelde het zich aan het eind van de 18e eeuw tot de populairste wijk onder buitenlanders die zich in Rome vestigden. Sinds de 18e eeuw vormde Rome een vast onderdeel van de *grand tour* van rijke jonge Europeanen en kunstenaars. Vele honderden van hen vestigden zich voor kortere of langere tijd in de Eeuwige Stad, onder wie Luther en Goethe, die in de nabijgelegen Via del Corso woonde.

Pal aan de trap staat het **Keats Shelley Memorial House 2**, waar de sfeer uit het begin van de 19e eeuw, toen de romantische dichters Keats en Shelley hier woonden, goed bewaard is gebleven. Een paar huizen verder vindt u het **Casa Museo Giorgio De Chirico 3**. Van De Chirico, de grondlegger van

de metafysische schilderkunst, die hier vanaf 1948 zijn atelier had en er zijn raadselachtige werken met extreme perspectivische constructies, beklemmende schaduwpartijen en zielloze marionetten vervaardigde, zijn naast het atelier meer dan zeventig schilderijen te zien. De prachtige **Villa Medici 4** doet tegenwoordig dienst als woning en atelier van Franse beursstudenten.

Het **Antico Caffè Greco 1** was in de 19e eeuw een trefpunt van kunstenaars, musici en schrijvers – en de stamkroeg van de Duitse kolonie in Rome. Hier filosofeerde Goethe, schreef Nikolai Gogol zijn 'Dode zielen' en portretteerden beroemde schilders hun collega's. Het fraaie interieur met schilderijen, spiegels en oude meubels is onveranderd gebleven – in tegenstelling tot de prijs van de cappuccino.

In de omgeving van de trappen staan tal van ambassades en consulaten die bij de Italiaanse staat of de Heilige Stoel geaccrediteerd zijn. Een

46

staatsrechterlijk curiosum is de **Ordine di Malta**, de zetel van de Maltezer Orde, een van de laatste nog bestaande kruisridderorden uit de middeleeuwen. Volkenrechterlijk wordt de Orde erkend als een soevereine staat – zij het een staat zonder grondgebied. De felbegeerde postzegels en munten van de Orde zijn hier verkrijgbaar.

Alta Moda

De Spaanse Trappen staan ook bekend ook als het middelpunt van de zogenaamde Alta Moda. Elk jaar presenteren topontwerpers hier hun nieuwste creaties. Achter de trappen bevinden zich de grote ateliers van Valentino, terwijl in de chique Via Condotti en de aangrenzende straten alle andere grote namen van de Alta Moda vertegenwoordigd zijn (zie ook blz. 105). Hier rijgen de luxueuze boetieks, juweliers, dure schoenenzaken en horlogiers zich aaneen. De prijzen zijn weliswaar niet zo astronomisch hoog als in Parijs of Londen, maar niettemin is het aan te raden de *saldi* (uitverkoop) af te wachten. U bent echter niet de enige – wie iets bijzonders op de kop wil tikken, moet er vroeg bij zijn.

Betaalbaarder mode is te vinden in het bovenste deel van de Via del Corso, bijvoorbeeld bij **Zara** 1 (nr. 135), of in de evenwijdig aan de Corso lopende Via Frattina, Via della Croce of Via della Vittoria. Hier vindt u ook enkele outletwinkels, zoals de **Discount dell'Alta Moda** 2 (Via Gesù e Maria 14/16a, zie blz. 104). Het is ook de moeite waard een bezoek te brengen aan de parfumerie **L'Olfattorio** 3 (Via Ripetta 34, di.-za. 15.30-19.30 uur), waar de klanten uit meer dan tweehonderd verschillende essences een persoonlijk geurtje kunnen samenstellen.

In de Via del Babuino en in het bijzonder in de knusse Via Margutta vindt u interessante kunstgaleries en antiquariaten. In de **Casa d'Aste** 4 (Via dei Greci 2a, astebabuino.it) kan men tijdens veilingen antiek op de kop tikken of eenvoudig toekijken.

Info en openingstijden

Keats Shelley Memorial House: Piazza di Spagna 26, tel. 06 678 42 35, keats-shelley-house.org, ma.-vr. 10-13, 14-18, za. 11-14, 15-18 uur, € 4 / € 3.

Casa Museo Giorgio De Chirico: Piazza di Spagna 31, fondazione dechirico.it, alleen na aanmelding vooraf, di.-za. morgen, tel. 06 679 65 46, € 5 / € 3.

Villa Medici: Viale Trinità dei Monti 1, villamedici.it, rondleidingen in het Italiaans of Frans, dag. 9.45, 10.30, 11.45, 15, 16.15 en 17.30 uur; in het Engels om 11.45 uur, € 8 / € 6.

Antico Caffè Greco: Via Condotti 86, tel. 06 679 17 00, anticocaffegreco.eu, dag. 9-19 uur.

Ordine di Malta: Via Condotti 68, ma.-za. 8.30-12.30 uur.

Eten en drinken

Wie in stijl een slokje wil drinken, kan terecht bij het **Museo atelier Canova Tadolini** 2, een museumcafé dat gevestigd is in het voormalige atelier van Adamo Tadolini, de lievelingsleerling van de classicistische beeldhouwer Antonio Canova (Via del Babuino 150a, museoateliercanovatadolini.it, ma.-za. 9-19.30 uur). Op het terras van het chique restaurant **Il Palazzetto** 3 kunt u genieten van een schitterend uitzicht op de Spaanse Trappen (de toegang bevindt zich aan het eind van de trap aan de linkerkant, di.-zo. 12-14.30 en 19.30-22.30 uur, ilpalazzetto roma.com, middagmaaltijd vanaf € 9, 's avonds menu circa € 40). Het is aan te bevelen van tevoren te reserveren, tel. 06 699 34 10 00.

⑦ Het centrum van het katholicisme – Sint-Pieterskerk en Sint-Pietersplein

Kaart: ▶ A/B 4
Vervoer: Metro: Ottaviano-San Pietro, Bus: 23, 40, 62, 64

In geen enkele andere staat ter wereld liggen de geografische grootte en het politieke belang op wereldniveau zo ver uiteen als in Vaticaanstad – een grootmacht met een oppervlakte van nog geen halve vierkante kilometer. Het hart wordt gevormd door de Sint-Pieterskerk en het Sint-Pieters-plein.

De mooiste toegangsweg naar het Vaticaan voert over de **Via della Conciliazione** ('Weg van de Verzoening'), die Mussolini na de ondertekening van de Verdrag van Lateranen (1929) als symbool van het akkoord tussen Kerk en Staat liet aanleggen. Sinds dit verdrag is het Vaticaan – het wereldlijk en geestelijk centrum van de katholieke kerk en de residentie van de paus – een soevereine staat. De *Stato Città del Vaticano* heeft een eigen postkantoor, eigen munten (die zeer gewild zijn bij

verzamelaars), een radiostation, supermarkten, een apotheek, een eigen krant en zelfs een eigen ordedienst, de Zwitserse Garde. Deze bewaakt de toegang tot de staat, die een oppervlakte van slechts 0,44 km^2 heeft. Hier liggen drie van de grootste bezienswaardigheden van Rome: de Piazza San Pietro, de San Pietro in Vaticano en de Musei Vaticani. De overgang van de Via della Conciliazione en het Sint-Pietersplein wordt gemarkeerd door een witte streep en is de enige onbewaakte 'grensovergang' tussen Italië en Vaticaanstad.

Piazza San Pietro

Op het **Sint-Pietersplein** ① wachten de gelovigen tijdens Pasen en Kerst op het 'Urbi et Orbi', de pauselijke zegen voor de 'stad Rome en de hele wereld', bidden ze voor de 'nieuwe zaligen en heiligen' of wachten ze zenuwachtig op het verlossende 'habemus papam', als in de Sixtijnse Kapel een nieuwe paus wordt gekozen. Iedere woensdag – als het weer het toelaat en de paus in Rome verblijft – vindt op het Sint-Pietersplein een algemene pauselijke audiëntie plaats.

Toen Bernini in de 17e eeuw van paus Alexander VII de opdracht kreeg om het plein vorm te geven, creëerde hij een indrukwekkend geheel. Het plein bestaat uit een door colonnades omzoomde ellips en een naar de kerk omhooglopend trapezium rond een in de 1586 opgerichte obelisk. Deze stond ooit in het Circus van Nero, waar Petrus (vermoedelijk 64 n.Chr.) met het hoofd omlaag werd gekruisigd. De colonnades symboliseren de verwelkomende armen van de kerk, die de gelovigen naar het hemelse rijk voeren. Vanaf de twee cirkelvormige schijven aan weerszijden van de obelisk wordt het woud van zuilen minder dicht en lijken de vier zuilenrijen tot één geheel te versmelten.

De Sint-Pieterskerk

Het symbool van het Vaticaan is de beroemdste kerk van de christelijke wereld: de **San Pietro in Vaticano (Sint-Pieterskerk)** **2**. Het godshuis werd tussen 1506 en 1626 over een bestaande kerk – met het vermeende graf van Petrus – uit de tijd van keizer Constantijn heen gebouwd. De Sint-Pieterskerk is een van de vier pauselijke basilieken en een van de zeven pelgrimskerken van Rome; de bisschoppelijke kerk is echter een andere: de San Giovanni in Laterano. Aan de bouw werkten de beste bouwkundigen uit de renaissance mee. Bramante ontwierp eerst een martelaarskerk met een Grieks kruis, Rafaël opteerde voor een Latijns kruis en voegde er een langschip aan toe, Michelangelo greep weer terug op Bramante en begon aan de grandioze koepel, die pas na zijn dood door

Giacomo della Porta en Fontana werd voltooid. Onder de leiding van Carlo Maderno, die ook de brede barokke gevel ontwierp, kreeg het bouwwerk zijn definitieve plattegrond van een Latijns kruis.

Vijf **portalen** voeren van het voorportaal de kerk in. Het meest rechtse portaal is echter (bijna) altijd gesloten, want de Heilige Poort wordt alleen naar aanleiding van een Heilig Jaar geopend – de volgende keer in 2025.

Het barokke **middenschip** is mede dankzij de reusachtige omvang bijzonder indrukwekkend. Tot aan de bouw van de kerk Notre-Dame de la Paix in Yamussukro (Ivoorkust) was de Sint-Pieter de grootste kerk ter wereld. In het middenschip markeert een bronzen strook de lengte van andere beroemde kathedralen. Ondanks de indrukwekkende afmetingen van de kerk (186 m lang, 123 m breed en 136 m hoog) doet het interieur niet overweldigend aan. Voor de inrichting van de kerk zijn vrijwel uitsluitend lang houdbare materialen gebruikt. Veel altaarversieringen, die er op het eerste gezicht als schilderijen uitzien, blijken bij nadere beschouwing uit mozaïeken te bestaan.

Overigens: onder de Sint-Pieterskerk zijn het graf van Petrus en een deel van de oude dodenstad van de Vaticaanheuvel te bezichtigen (rondleiding circa 1 uur). Schriftelijke aanmelding minstens 5 maanden tevoren: Ufficio Scavi, Fabbrica di San Pietro, 00120 Città del Vaticano, ook mogelijk per fax: 06 69 87 30 17 of e-mail: scavi@fsp.va, tel. 06 69 88 53 18. Openingstijden van het kantoor: ma.-za. 9-17 uur, toegang € 12, minimumleeftijd 15 jaar, aanmeldingsformulieren verkrijgbaar via pilgerzentrum.de.

Het middenschip van de Sint-Pieterskerk en het bronzen baldakijn onder de koepel

De blikvanger van de kerk is het reusachtige, op vier gedraaide zuilen rustende **bronzen baldakijn** boven het pauselijk altaar en het graf Petrus, dat Bernini naar verluidt heeft vervaardigd van uit het Pantheon afkomstige bronzen platen. De talloze bijen waarmee het is versierd, verwijzen naar het wapen van de opdrachtgever, paus Urbanus VIII. Let ook op de rozenkrans links achteraan de basis van de zuilen – het lijkt alsof een geestelijke deze per ongeluk heeft achtergelaten. Ook de **Cathedra Petri** in het koor (1655) is van de hand van Bernini. Vier kerkvaders dragen een met brons beklede houten stoel, waarop Petrus ooit zou hebben gezeten.

De op vier pilaren rustende **koepel** is een meesterwerk van Michelangelo. Maak in ieder geval de klim naar de koepel, waar u een fantastisch uitzicht hebt over het interieur van de kerk, op het Vaticaan en de stad Rome. Een van de grootste trekpleisters van de kerk is de fabuleuze **Pietà** in de eerste zijkapel rechts, het enige gesigneerde meesterwerk van Michelangelo. Sinds een vandaal het beeld heeft proberen te beschadigen, wordt het beschermd door gepantserd glas. Voor de laatste zuil aan de rechterkant van het middenschip troont een **bronzen beeld van de H. Petrus**, dat Arnolfo da Cambio naar aanleiding van het eerste Heilig Jaar 1300 vervaardigde. De rechtervoet van het beeld is door de ontelbare aanrakingen van pelgrims zichtbaar afgesleten.

Zowel in de kerk zelf als in de daaronder gelegen pauselijke catacomben zijn tal van pausen begraven. Vooral het graf van de in 2005 overleden paus Johannes Paulus II trekt veel bezoekers (toegang aan de rechterkant van het voorportaal).

Openingstijden

San Pietro: 7-19 uur.
Cupola di San Pietro: 8-18, 's winters tot 17 uur, € 7 met de lift, € 5 te voet. Tijdens de audiëntie van de paus op wo. op het Sint-Pietersplein en bij

andere speciale gelegenheden is de koepel niet toegankelijk.

Inlichtingen

Ufficio Pellegrini e Turisti: aan de linkerkant van het Sint-Pietersplein, tel. 06 69 88 16 62 of 06 69 88 20 19, ma.-za. 8.30-19 uur.

Veiligheidscontrole

Bij de ingang van de Sint-Pieterskerk worden veiligheidscontroles gehouden. Neem geen spitse (metalen) voorwerpen (zoals zakmessen of nagelschaartjes) mee!

Op audiëntie bij de paus

Wo. om 10.30 uur op het Sint-Pietersplein, 's winters in de audiëntiezaal Paolo VI. Gratis kaarten na schriftelijke aanmelding (minstens 4 weken van tevoren) bij het Duitse pelgrimscentrum, Via del Banco di Santo Spirito 56, tel. 06 689 71 97 98, fax 06 686 94 90. Aanmeldingsformulieren zijn verkrijgbaar op pilgerzentrum.de of bij de prefectuur van het pauselijk hof. Kaarten voor de audiëntie kunnen

uitsluitend di. 15-18 en wo. vanaf 8.30 uur worden afgehaald.
De zegen van de paus kan men ook buiten de audiëntietijd krijgen: elke zo. spreekt de paus om 12 uur op het Sint-Pietersplein het Angelus uit en zegent de aanwezigen. Hiervoor is aanmelding niet nodig.

De Vaticaanse tuinen

De **Vaticaanse tuinen** ⑥ zijn dag. beh. wo. en zo. te bezichtigen (circa 2 uur), € 31 / € 25 (tevens geldig voor de musea van het Vaticaan en een audioguide). Reserveren en kaartverkoop via vatican.va (onder Vatican Museums/tickets online).

Eten en drinken

De **Trattoria La Vittoria** ① (Via delle Fornaci 15-17, tel. 06 63 18 58, ristorante lavittoria.com, wo.-ma. 12-15, 19-23 uur, € 20) is niet alleen geliefd bij bezoekers, maar ook bij geestelijken en ambtenaren van het Vaticaan. Grote keus aan Romeinse specialiteiten. De bediening is heel vriendelijk.

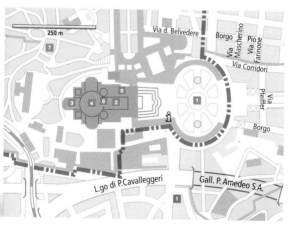

⑧ Meesterwerken van kunst – de Musei Vaticani

Kaart: ▶ B 3-4
Vervoer: Metro: Cipro-Musei Vaticani / Ottaviano (A)

Voor kunstminnaars zijn de musea van het Vaticaan een paradijs op aarde. De bezoekers wacht hier een weergaloze collectie, die zich over een lengte van 7 km uitstrekt. Om alles te bezichtigen is een dag veel te kort. Het is dan ook aan te raden om van tevoren een keuze te maken. Wat u zeker niet mag missen zijn de Sixtijnse Kapel van Michelangelo en de Stanza van Rafaël.

De Vaticaanse musea bezitten een van de grootste kunstverzamelingen ter wereld. De in totaal vijftien afzonderlijke musea beheren ongeveer dertig collecties. De tentoongestelde voorwerpen lopen uiteen van bronzen beelden van de Etrusken, Egyptische mummies, Griekse en Romeinse sculpturen, reliefs, fresco's en moderne schilderijen. Behalve in de Sixtijnse Kapel is fotograferen in alle musea van het Vaticaan

toegestaan – gebruik van flitslicht en een statief is echter verboden.

Hoogtepunten uit de antieke wereld

De kern van de musea bestaat uit de verzameling kunst uit de oudheid van paus Julius II. De pronkstukken bevinden zich in de **Cortile Ottagono** ⬛. De lichtvoetige **Apollo van Belvedere**, een kopie van een Grieks brons van Leochares uit de 4e eeuw v.Chr., wordt tegenwoordig beschouwd als hét symbool van de oudheid. De beroemde **Laocoön-groep** uit de 1e eeuw n.Chr. werd in 1506 bij toeval in de Domus Aurea gevonden. Dit werk vol pathos en dramatiek toont de doodstrijd van de Trojaanse priester Laocoön. Omdat hij de Trojanen had gewaarschuwd voor het houten paard van de Grieken, hadden de goden hem twee reusachtige slangen gezonden. Ook al is de **Torso van Belvedere** (1e eeuw v.Chr.) in de Sala delle Muse slechts een fragment van een groter beeld, het straalt een enorme kracht uit. Rodin liet zich door dit werk inspireren voor zijn 'Denker'.

De Stanza van Rafaël

Onder Julius II en zijn opvolger Leo X vervaardigde Rafaël met behulp van enkele leerlingen de naar hem genoemde **Stanza**, de schilderingen in de pauselijke woon- en ontvangstvertrekken. In een uniforme stijl schilderden ze taferelen uit de Bijbel, het leven van de apostelen, de kerkgeschiedenis en de nieuwere Romeinse geschiedenis.

In de **Sala di Costantino** 2, die als audiëntiezaal van de pausen dienst deed, zijn vier episoden te zien uit het leven van Constantijn: zijn visioen van het kruis voor de slag bij de Milvische Brug in 312, zijn overwinning op Maxentius en zijn fictieve doop door paus Silvester. Het belangrijkste fresco in dit vertrek toont hoe Constantijn Rome aan de paus schenkt – een schenking waarmee de pausen eeuwenlang hun aanspraken op de macht hebben gelegitimeerd.

Het wonderbare ingrijpen van God ter bescherming van Kerk en geloof is het thema van de fresco's in de **Stanza di Eliodoro** 3. Het gebruik van licht in de 'Bevrijding van de apostel Petrus' (de eerste nachtscène van de hoogrenaissance), de lichte kleuren en de evenwichtige compositie verraden onmiskenbaar de hand van Rafaël.

De **Stanza della Segnatura** 4 verhaalt in een meesterlijke frescotechniek van de vier wetenschaptakken in de toenmalige bibliotheken: jurisprudentie, theologie, poëzie en filosofie. De grote publiekstrekker is de 'School van Athene', waarin, geheel in de geest van de renaissance, de filosofie van de oudheid als de bakermat van de Europese cultuur en wetenschap

wordt verheerlijkt. Op het fresco zijn de belangrijkste filosofen uit de oudheid afgebeeld. Onder een tongewelf in het midden, dat doet denken aan dat van de Sint-Pieterskerk, staat de in een rode toga geklede Plato. Als vertegenwoordiger van de speculatieve filosofie heeft hij de hand naar boven gericht, waarmee hij naar het rijk der ideeën verwijst. Naast hem staat Aristoteles, die met zijn uitgestrekte hand naar de empirie als grondslag van alle kennis wijst. Om hen heen is een groot aantal filosofen, wiskundigen en kunstenaars gegroepeerd. Pas later voegde Rafaël de figuur van de op een steenblok schrijvende Heraclitus toe, die hij de gelaatstrekken van Michelangelo gaf – een hommage aan de grote kunstenaar die op nog geen 50 m afstand het plafond van de Sixtijnse Kapel beschilderde.

De fresco's in de **Stanza dell' Incendio** 5 ('Brand in de Borgo') herinneren aan een brand in het Vaticaan en zijn aan de hand van schetsen van Rafaël door diens leerlingen gemaakt.

De Sixtijnse Kapel

'De positie waarin ik moet werken is totaal ongeschikt om te schilderen', zo klaagde Michelangelo in een brief aan een vriend. Niettemin beschilderde hij in nog geen vier jaar tijd het gehele plafond van de **Sixtijnse Kapel (Cappella Sistina)** 6. Deze frescocyclus, die het scheppingsverhaal tot onderwerp heeft, wordt beschouwd als een mijlpaal in de kunstgeschiedenis. Het kleurgebruik en de expressieve figuren, die precies lijken te passen in de vorm van het stenen gewelf, hebben grote invloed gehad op latere kunstenaars, met name de maniëristen. Van 1508 tot 1512 wijdde Michelangelo zich liggend op zijn rug en zonder enige hulp aan de beschildering van het 40 m lange en 13 m brede plafond. Met een enorme beeldende kracht en in expressieve kleuren verbeeldt hij het bijbelse epos van de schepping van de wereld en de mens, de zondeval, de zondvloed en de dronkenschap van Noach. Orakelende sybillen en profeten omringen de taferelen, in de timpanen en zwikken zijn de voorvaderen van Christus afgebeeld, en in de hoeken zijn voorstellingen uit het Oude Testament geschilderd. Bijzonder indrukwekkend is de dramatische gestalte van God in de 'Schepping van Adam'.

Meer dan twintig jaar later, in 1534, kreeg Michelangelo – die intussen bijna 60 jaar was – van paus Paulus III opdracht het altaarfresco 'Het Laatste Oordeel' te schilderen, waarop een rechtsprekende Christus met een gebiedend, bijna onverzoenlijk gebaar de mensheid ter verantwoording roept. Rond Christus scharen zich engelen en martelaren, de rechtvaardigen stijgen uit hun graven op naar de hemel, de verdoemden worden in de hel geworpen. De pessimistische sfeer van het fresco is te verklaren vanuit de door velen als goddelijk gericht ervaren plundering van Rome in 1527. Als reactie op het gedrag van de paus werd Rome in dat jaar geplunderd door soldaten van keizer Karel V – die op een sinds de oudheid nooit meer vertoonde wijze huishielden. Dit betekende het eind van het tijdperk van de renaissancepausen.

Toen het werk met overwegend naakte gestalten werd onthuld, brak een storm van protest los. De volgende paus, Paulus IV, beval Daniele da Volterra (een leerling van Michelangelo) de aanstootgevende lichaamsdelen onder vijgenbladen en lendendoeken te verbergen – met als gevolg dat deze begaafde kunstenaar onder de bijnaam *il braghettone* ('de broekenschilder') de geschiedenis is ingegaan. De zijmuren waren tussen 1481 en 1483 al door de beroemdste schilders van die tijd, onder wie Botticelli, Pinturicchio, Perugino, Signorelli en Ghirlandaio, met taferelen uit het leven van Mozes en Christus beschilderd.

Fresco 'De school van Athene' in de Stanza van Rafaël

Info en openingstijden

Inlichtingen: http://mv.vatican.va.
Openingstijden: ma.-za. 9-18 (laatste toegang 16 uur), gratis toegang op de laatste zo. van de maand 9-14 uur (toegang tot 12.30 uur; voor actuele openingstijden zie de website). Gesl. zo., 1 jan., 6 jan., 11 febr., 19 mrt., eerste en tweede Paasdag, 1 mei, Hemelvaartdag, Sacramentsdag, 29 juni, 15 en 16 aug., 1 nov., 8, 25 en 26 dec., toegang € 15 / € 8, audioguides te huur.

De beste tijd

De beste tijd voor een bezichtiging is rond het middaguur, als de meeste reisgezelschappen aan de lunch zitten. Op maandag is het meestal het drukst, omdat de meeste andere musea dan gesloten zijn. Ook op de laatste zondag van de maand is het erg druk. Tegen een extra vergoeding van € 4 kan men van tevoren tickets boeken en zich zo de lange wachttijd bij de kassa besparen. Online kaartverkoop op http://mv.vatican.va.

Sinds enkele jaren zijn de musea vanaf april ook op vrijdagavond geopend: april (behalve de 2e vr.), mei, juni, juli (alleen eerste en tweede vr. van de maand), sept., okt. 19-23 uur (laatste toegang 21.30, de uitgang is 22.30-23 uur open).

Eten en drinken

In de Vaticaanse musea vindt u een **bar** (onder de Sixtijnse Kapel) en een **zelfbedieningsrestaurant** (vlak bij de pinacotheek).

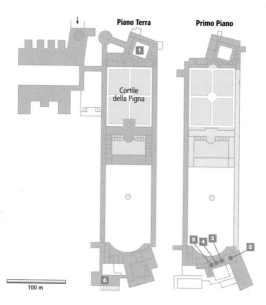

Piano Terra

Primo Piano

Cortile della Pigna

100 m

⑨ Een park voor iedereen – Villa Borghese

Kaart: ▶ E-G 1-2
Vervoer: Bus: 116, Tram: 3, 19, Metro: Flaminio (A)

Een idyllisch park, schitterende musea, toneelpodia en een dierentuin – Villa Borghese, de 'groene long' van Rome, heeft jong en oud, natuur- als cultuurliefhebbers veel te bieden.

Het voormalige tuinencomplex van de familie Borghese is een van de populairste en meest centraal gelegen parken van Rome. Hier lopen joggers en oefenen skaters, ontmoeten kunstliefhebbers elkaar in een van de vele musea, toeren fietsers en riksjarijders rond, peddelen verliefde stelletjes over het meertje en vermaken kinderen zich in de dierentuin. Het uitzicht vanaf het terras van de Pincio (toegang via de Porta Pinciana / Via Veneto of de Piazza del Popolo) is onvergetelijk.

Villa Borghese

Het 80 ha grote park – met 'villa' wordt in het Italiaans een park aangeduid – is in het begin van de 17e eeuw aangelegd voor kardinaal Scipione Caffarelli Borghese. Onmiddellijk na zijn benoeming – en in de beste tradities van pauselijk nepotisme – kreeg hij het park met villa ten geschenke van zijn oom, paus Paulus V. Aan het eind van de 18e eeuw werd het park uitgebreid en veranderd in een Engelse tuin met parasoldennen en eiken, compleet met een meertje, tal van fonteinen met mythologische figuren, kunstmatige grotten en een tempel. Sinds het begin van de 20e eeuw is het park voor het publiek toegankelijk.

Tegenwoordig is Villa Borghese verreweg het populairste park van de stad.

U vindt er het **Casa del Cinema** , de modernste bioscoopzaal van Italië, het **Globe Theatre** , een kopie van het beroemde Britse theater uit de tijd van Shakespeare (voor het programma zie globetheatreroma.com) en het museum voor moderne kunst **Carlo Bilotti** , met werken van De Chirico. In het gerestaureerde Casina Valadier bij de Pincio kunt u in een schitterende omgeving uitstekend (en duur!) eten. In het **Casina Raffaello**  is een speelcentrum voor kinderen van 5 tot 10 jaar gevestigd en de verouderde dierentuin is omgebouwd tot het **Bioparco** , met een kinderboerderij en speeltuin (nov.-mrt. 9.30-17, anders tot 18, zon- en feestdagen tot 19 uur, tel. 06 360 82 11, bioparco.it, volw. € 10, kinderen € 8).

De Galleria Borghese

De **Galleria Borghese** , een van de beste privéverzamelingen ter wereld, die in het begin van de 17e eeuw bijeen is gebracht, vormt het hoogtepunt van het park. De collectie is ondergebracht in de 16e-eeuwse villa van kardinaal Scipione Borghese, die ontworpen is

door de Hollandse architect Giovanni Vasanzio (Jan van Santen). Het museum bezit een groot aantal sculpturen, mozaïeken en schilderijen uit de oudheid en de barok, waaronder meesterwerken van Bernini en Caravaggio. Een van de vertrekken is geheel gewijd aan de 'Paolina Borghese' van de classicistische beeldhouwer Canova. Hij beeldde de met schandalen omgeven zuster van Napoleon naakt af als Venus op een divan (1805). De volgende zalen zijn gewijd aan vroege werken van Bernini, waarmee hij zijn naam vestigde. Hij slaagde er als geen ander in een moment en de vluchtige beweging vast te leggen. Voor zijn 'David met de slinger' (1624) stond hij zelf model. De groep 'Apollo en Daphne' (1624), waarin Daphne zichzelf uit wanhoop over de handtastelijkheden van Apollo geleidelijk in een laurierstruik verandert, straalt een grote dramatische intensiteit uit. Hetzelfde kan worden gezegd van de 'Ontvoering van Proserpina door Pluto' (1622), waarbij de god van de onderwereld met zijn wellustige vingers in het bovenbeen van zijn

Niet alleen voor verliefden – het meertje van Villa Borghese

Overigens: in het weekend kunt u genieten van het uitstekende poppentheater van het Napolitaanse kindertheater **San Carlino** 9. Elke za. 16, zo. 11 en 12, bij mooi weer ook 16 en 17 uur. Inlichtingen: sancarlino.it.

slachtoffer grijpt. Zijn genialiteit is onder meer af te lezen aan de details, zoals de geleidelijke verandering van Daphne in een plant en de realistische weergave van de spieren.

De 'zaal van de dansende saters' herbergt werken van Caravaggio, de meester van licht en donker, zoals 'David met het hoofd van Goliath' (1609-1610), dat hij na een moord als 'verzoek om genade' aan het pauselijk hof schonk. In de pinacotheek op de eerste verdieping zijn nog meer meesterwerken uit de renaissance, het maniërisme en de barok te zien, zoals Rafaëls 'Graflegging van Christus' uit 1507, Correggio's 'Danae' uit 1531 en Titiaans 'Hemelse en aardse liefde' (omstreeks 1536). Voor 2011 heeft het museum een grote tentoonstelling met werken van Titiaan gepland.

Etruskische meesterwerken

Een ander hoogtepunt is het **Museo Nazionale Etrusco** 7, een van de belangrijkste musea voor Etruskische kunst ter wereld. Het is ondergebracht in de Villa Giulia, ooit de zomerresidentie van paus Julius III. De omvangrijke Etruskische collectie, die meer dan dertig zalen beslaat, bestaat uit vondsten uit opgravingen in zuidelijk Toscane, Lazio en Umbrië. Het aantal tentoongestelde voorwerpen is overweldigend: van het zwart-rode Attische keramiek, prachtige gouden sieraden en het eerste kunstgebit tot de dubbelsarcofaag uit Cerveteri (circa 530 v.Chr.), waarop twee glimlachende, uiterst realistisch afgebeelde echtelieden zijn te zien. Een ander topstuk is de 'Apollo van Veji' (6e eeuw v.Chr.), die vermoedelijk in het atelier van de beroemde Vulca is vervaardigd. Interessant zijn ook de tombe uit Cerveteri en de reconstructie van een Etruskische tempel in de tuin.

Kunst uit de 20e eeuw

In 1911 werd ter gelegenheid van het vijftigjarig bestaan van de Italiaanse eenheid de **Galleria Nazionale d'Arte Moderna** 8 geopend – de belangrijkste en grootste collectie Italiaanse schilder- en beeldhouwkunst van de 19e en 20e eeuw. De nadruk ligt op de grote Italiaanse kunststromingen uit het begin van de 20e eeuw, zoals het futurisme en de Pittura Metafisica, met werken van Carlo Carrà, Giacomo Balla, Gino Severini, Umberto Boccioni en Giorgio de Chirico. Daarnaast bezit het museum ook enkele werken van Van Gogh, Monet, Picasso, Degas, Cézanne en Klimt. Wie even wat wil drinken kan terecht bij het Caffè delle Arti (tel. 06 32 65 12 36, caffedelleartiroma.it).

• • • • • • • • • • • • • • • • • •

Inlichtingen en openingstijden

Galleria Borghese: Piazzale del Museo Borghese 5, galleriaborghese.it, toegangskaarten moeten van tevoren worden besteld, tel. 06 328 10, di.-zo. 8.30-19.30 uur, bezichtigingen in sessies van 2 uur vanaf 9 uur, toegang € 8,50, met korting € 5,25 (eventuele speciale tickets moeten 30 min. van tevoren worden afgehaald). Fotograferen is wettelijk verboden. **Villa Giulia:** di.-zo. 8.30-19.30 uur; € 4 / € 2. **Galleria d'Arte Moderna (GNAM):** di.-zo. 8.30-19.30 uur, € 9 / € 7. Er is een mooi museumcafé.

🔟 De uitgaansbuurt van Rome – de wijk Testaccio

Kaart: ▶ kaart 1a
Vervoer: Metro: Piramide (B)

Testaccio is overdag een rustige woonwijk met een dorpse sfeer, maar verandert in de avonduren in dé uitgaansbuurt van Rome.

De 'schervenheuvel' Monte Testaccio behoort niet tot de zeven heuvels van Rome, maar heeft niettemin een hoogte van 35 m en een omtrek van ongeveer 1500 m. In de oudheid werden in deze omgeving producten opgeslagen die vanuit de provincies naar Rome waren vervoerd. Vanaf de tijd van keizer Augustus waren amforen, waarin graan, olijfolie en wijn naar de miljoenenstad werden getransporteerd, het meest gangbare 'verpakkingsmateriaal'. Nadat ze geleegd waren, werden met name de amforen waarin olijfolie was bewaard kapotgesmeten (in de loop van de eeuwen ongeveer 25 miljoen stuks) – vanwege het bezinksel op de bodem waren ze niet opnieuw te gebruiken. De scherven werden op een

hoop gegooid, die in de loop van honderden jaren uitgroeide tot een enorme heuvel. Aan deze scherven (in het Latijn *testae*) heeft de wijk zijn naam te danken. In tal van horecagelegenheden op de Testaccioheuvel zijn scherven van deze oude amforen te zien.

Een arbeiderswijk

Dit gebied bleef tot aan het eind van de 19e eeuw onbewoond; daarna werden er woningen opgetrokken voor de duizenden werknemers van de nabijgelegen gasfabriek en elektriciteitscentrale Montemartini, de zeep- en glycerinefabriek Mira Lanza (nu de thuisbasis van het Teatro India), van het abattoir en de grote markten aan de Via Ostiense. Tegenwoordig wonen in de van baksteen opgetrokken woningen zowel welgestelde gezinnen als studenten. De afgelopen jaren heeft Testaccio zich ontwikkeld tot een trendy uitgaans- en kunstenaarswijk. Eén ding is echter niet veranderd: Testaccio is nog steeds de wijk van de *giallorossi*, de fanatieke supporters van de voetbalclub AS Roma, die vroeger op de Campo Testaccio aan de Via Zabaglia trainde. De geel en rood geschilderde clubhuizen van de supporters in de Via Branca en de Via Ghiberti zijn niet over het hoofd te zien. Het middelpunt van de in een schaakbordpatroon gebouwde wijk is de ochtendmarkt op de **Piazza Testaccio** 🔲, waar de kraampjes rond 6.30 uur worden opgezet. Slagers, vis- en groentehandelaren verkopen er hun door felle neonlampen verlichte waren, die natuurlijk allemaal uit de regio afkomstig zijn, zoals vis uit Anzio, artisjokken, *puntarelle* (een soort witlof) en *cicoria* (cichorei). De markt is echter vooral bekend vanwege de schoenen. Op zaterdag stromen de belangstellenden uit andere wijken toe om bij Cesare goedkope merkschoenen aan te schaffen.

In de establissementen rond de markt wordt de echte Romeinse keuken nog geserveerd, van *bucatini all'amatriciana* (pasta met en kruidige speksaus) en *trippa alle romana* (runderpens in tomatensaus) tot *coda alla vaccinara* (ossenstaartragout) en *coratella* (hart en longen). Wie dat alles wat teveel van het goede vindt, kan uiteraard ook bijvoorbeeld zuiglam kiezen. Testaccio is de bakermat van de *cucina del quinto quarto* ('keuken van de vijfde wijk'), de Romeinse armeluiskeuken – aangezien de straatarme arbeiders geen 'echt' vlees konden betalen, gebruikten ze de restanten van het abattoir.

Een cultureel centrum en de stad van de duurzame economie

Het voormalige abattoir *(mattatoio)* is tegenwoordig een cultureel centrum. Naast de al langer bestaande Villaggio Globale, het culturele centrum van de linkse alternatieve scene, de Scuola di Musica Popolare, de school voor leerbewerkers en de faculteit voor architectuur heeft nu ook **MACRO Future** 🔲 (Piazza Orazio Giustiniani 4, tel. 06 671 07 04 00, macro.roma.museum, di.-zo. 16-24 uur) zich in deze wijk gevestigd. In deze dependance van de MACRO in de Via Reggio Emilia worden wisseltentoonstellingen van hedendaagse kunst georganiseerd.

Aan het eind van 2007 kwam het lievelingsproject van de voormalige burgemeester van Rome, Walter Veltroni, gereed: de 3500 m² grote **Città dell'Altra Economia** 🔳 ('Stad van de andere economie', tel. 06 57 30 04 19, cittadellaltraeconomia.org, di.-za. 10-20, zo. tot 19 uur), een samenwerkingsverband van een groot aantal bedrijfjes die duurzame economie hoog in het vaandel hebben staan. Een van de doelstellingen is om concrete stappen te ontwikkelen in de richting van een solidaire economie. In de winkeltjes en werkplaatsen zijn uiteenlopende producten te koop. Een van de origineelste winkels is 'Riuso e riciclo', waar van hergebruikte materialen gemaakte sieraden, meubels, tassen en nog veel meer te koop zijn (di.-za. 10.30-21.30 uur).

Het feest begint

Als in de woningen van Testaccio geleidelijk de lichten uitgaan, komt het leven in de bochtige Via di Monte Testaccio pas goed op gang. Deze straat, die rond de Schervenheuvel slingert, is van oktober tot mei het middelpunt van de clubscene van Rome. In de avonduren en vooral in de weekends komen vele duizenden nachtbrakers naar de disco's en muziekclubs in de Via Galvani en de Via di Monte Testaccio. Hier bevinden zich onder andere de bij housefans populaire **Alibi** 🔲 (zie blz. 111) en de salsabar **Caruso Caffè** 🔲 (Via di Monte Testaccio 36, tel. 06 574 50 19, do.-zo. 22.30-3 uur, juli-half sept. gesl.).

In de buurt

Aan de rand van de wijk, in de schaduw van de Aureliaanse muur, staat in de buurt van de Via Ostiense de **Piramide di Cestio** 4. De piramide is opgetrokken in de tijd na de verovering van Egypte, toen veel Romeinen gefascineerd raakten door dit land. Zo ook de praetor en volkstribuun Gaius Cestius, die in 12 v.Chr. een nagebouwd faraograf voor zichzelf liet oprichten (rondleiding met gids, inclusief een bezoek aan de grafkamer, elke tweede en vierde zaterdag van de maand, 11 uur, reserveren aanbevolen, tel. 06 39 96 77 00, € 4,50 plus € 1,50 reserveringskosten.

De echte Romeinse keuken

In de hele stad beroemd is de trattoria **Da Felice** 1, waar u terecht kunt voor de echte Romeinse keuken. Zo staan er op donderdag *gnocchi*, op vrijdag vis en op zaterdag *trippa* (trijp) op het menu. Bovendien kunt u elke dag klassiekers bestellen als *tonnarelli cacio e pepe* en *rigatoni alla carbonara*. Om hier een tafeltje te bemachtigen is reserveren absoluut noodzakelijk. Zowel 's middags als 's avonds kunt u kiezen tussen twee tijden om te gaan eten (Via Mastro Giorgio 29, tel. 06 574 68 00, feliceatestaccio.com, ma.-za. 's middags vanaf 12 of 14, 's avonds vanaf 20 of 22 uur, menu € 30).

In het gezellige **Bucatino** 2, genoemd naar de voortreffelijke *bucatini all'amatriciana,* komen enorme porties op tafel. Ook de *antipasti* zijn befaamd. Voor 's avonds is reserveren beslist noodzakelijk (Via Luca della Robbia 84, tel. 06 574 68 86, bucatino.com, di.-zo. 12.30-15, 19.30-23.30 uur, menu circa € 30).

11 Van tempel tot kerk – het Pantheon

Kaart: ▶ E 4/5
Vervoer: Bus: 40, 64, 116, 117, 119, 175, 492

Het Pantheon, het best bewaard gebleven bouwwerk uit de oudheid – samen met het Colosseum – is vaak gekopieerd. Ook nu nog raakt men onder de indruk van het harmonieuze interieur en de perfect geproportioneerde koepel. De enige lichtbron is de grote opening in de koepel.

Het **Pantheon** 1 is een van de grootste bezienswaardigheden van Rome; het is er dan ook altijd erg druk. Alleen een klein altaar in het midden wijst erop dat het Pantheon dienst doet als kerk. Toch heeft het gebouw zijn behoud te danken aan het feit dat het ooit tot kerk is gewijd.

Meesterwerk van bouwkunst

Dankzij zijn harmonieuze afmetingen is het Pantheon met zijn koepel, het van zuilen voorziene voorportaal en de opvallende geveldriehoek een van de fascinerendste bouwwerken uit de Romeinse oudheid. In 27 v.Chr. werd onder Marcus Agrippa, de schoonzoon van keizer Augustus, begonnen met de bouw. Zijn definitieve uiterlijk heeft het overkoepelde ronde bouwwerk echter te danken aan keizer Hadrianus, die het in de eerste helft van de 2e eeuw n.Chr. na een aantal verwoestende branden liet herbouwen. Van de marmeren bekleding en de vergulde bronzen dakpannen is helaas nauwelijks iets bewaard gebleven – deze vielen in de middeleeuwen ten prooi aan plunderingen.

Toen de Barberini-paus Urbanus VIII in de 17e eeuw ook nog het bronzen cassetteplafond uit het voorportaal liet verwijderen om het brons om te smelten tot kanonnen en te verwerken in het baldakijn in de Sint-Pieter, reageerde de bevolking woedend: 'Quod non fecerunt barbari fecit Barberini' ('Waar de barbaren niet in slaagden lukte Barberini'). De 'plundering' van Barberini was des te opmerkelijker omdat het Pantheon in die tijd al lang een christelijk gebedshuis was: op 13 mei 609 had paus Bonifacius IV het bouwwerk gewijd aan de Koningin van de Hemel en alle martelaren, waarna het de naam Santa Maria ai Martiri kreeg.

Perfecte verhoudingen

Het opvallendste aan het Pantheon is het interieur. Met een doorsnede van 43,30 m en exact dezelfde hoogte biedt het Panteon, het grootste van het koepel voorziene gebouw uit de oudheid (ook tegenwoordig is de koepel de grootste van Rome) een aanblik van perfecte harmonie. De lichtbron wordt gevormd door het 9 m grote 'oog' (een opening zonder glas) helemaal boven in de koepel. Als het regent, wordt het water door een marmeren putje afgevoerd. Ook al in de oudheid had de bevolking van Rome geen verklaring voor het gat in de koepel. Of misschien toch: het verhaal deed de ronde dat de bouwmeesters een enorme heuvel van aarde hadden opgeworpen, waaromheen de koepel werd opgetrokken. De opening bovenin werd vrijgelaten, zodat de inwoners van Rome de munten die in de aarden heuvel begraven waren eruit konden zoeken. Op deze manier zou de aarde binnen korte tijd uit het hele inwendige verdwenen zijn. In werkelijkheid is de koepel opgetrokken in *opus caementicium* (stampmetselwerk), waarbij verschillende lagen met behulp van plankwerk over elkaar heen werden aangebracht – het resultaat is even sterk als het beton van tegenwoordig.

De zware koepel rust op 6,20 m dikke wanden van metselwerk. Na de ondergang van het Romeinse rijk zou het nog eeuwen duren tot er weer koepels van een dergelijke afmeting konden worden gebouwd. Het Pantheon heeft als inspiratiebron gediend voor tal van belangrijke gebouwen, waaronder het Capitool in Washington.

Goden, koningen en schilders

In de oudheid was het Pantheon vermoedelijk gewijd aan de zeven goden van de planeten, wier beelden in nissen in het inwendige waren opgesteld. In de loop der eeuwen werden de beelden uit de oudheid vervangen door christelijke altaren en grafmonumenten. In de kerk is een aantal Italiaanse koningen bijgezet, evenals de renaissanceschilder Rafaël, wiens graf getooid is met een madonnabeeld.

● ●

Openingstijden

Pantheon: Piazza della Rotonda, ma.-za. 8.30-19.30, zo. 9-18, feestdagen 9-13 uur, mis za. 17, zo. 10.30 en 16.30 uur.

Eten en drinken

Vlak bij het Pantheon bevinden zich twee uitstekende koffieroosterijen: **Tazza d'Oro** ▮ (Via degli Orfani 84, tel. 06 678 97 92, tazzadoro.it, ma.-za. 8-20 uur) met bijbehorende bar en **Caffè Santa Eustachio** ▯ (Piazza Santa Eustachio 82, tel. 06 68 80 20 48, santeustachioilcaffe.it, dag. 8-1 uur), dat bekend staat om zijn *gran caffè*.

⑫ Mausoleum, schuilplaats en operadecor – Castel Sant' Angelo

Kaart: ▶ C/D 3/4
Vervoer: Bus: 40, 64, 280

Castel Sant' Angelo ('Engelen-burcht') staat aan de oever van de Tiber. Het is oorspronkelijk gebouwd als mausoleum voor keizer Hadrianus en deed later dienst als schuilplaats en gevange-nis van de pausen. Het bouwwerk figureerde in de dramatische slotacte van de opera 'Tosca' van Puccini. Vanaf de rondgang hebt u een magnifiek uitzicht.

Castel Sant' Angelo ⊞ weerspiegelt als geen ander monument in Rome de geschiedenis van de stad. Het in de 2e eeuw voor keizer Hadrianus opge-richte mausoleum diende aanvankelijk als grafmonument voor hem en zijn opvolgers. Toen keizer Aurelianus de naar hem genoemde muur liet bou-wen, werd het mausoleum een verde-digingswerk, compleet met kantelen. Tijdens de belegering van Rome door de Gothen dienden de stenen van de beelden die het mausoleum bekroon-den om de vijand te belagen.

Castel Sant' Angelo heeft zijn huidi-ge naam te danken aan een pestepide-mie in 590. Tijdens een boeteprocessie zag paus Gregorius de Grote naar ver-luidt hoe de aartsengel Michaël op het mausoleum het zwaard weer in zijn schede schoof – een teken dat de pest ten einde was. Daarop richtte men op de burcht het beeld op van een engel, waarna het *castel* een symbool werd van de macht van de Kerk.

Na de terugkeer van de pausen uit Avignon diende Castel Sant' Angelo als pauselijke vesting en schuilplaats, compleet met ophaalbrug, kazerne, wapenarsenaal en kanonnengieterij. Via een 700 m lange onderaardse gang, de *passetto,* was de burcht rechtstreeks met het Vaticaan verbonden. Tijdens de *Sacco di Roma* (plundering van Rome) op 6 mei 1527 wist de paus het vege lijf te redden door, onder dekking van de Zwitserse Garde, via de *passetto* naar Castel Sant' Angelo te vluchten. Sindsdien worden recruten van de Garde op deze datum beëdigd.

Kerker voor illustere gevangenen

Castel Sant' Angelo heeft ook dienst gedaan als gevangenis. Hier liet de machtige dame Marozia paus Johannes X opsluiten en wurgen, en de Borgia-paus Alexander VI sloot er zijn vijanden in de kerkers op. Ook de houwdegen Benvenuto Cellini, die roem verwierf als de grootste goudsmid van de renaissance, zat hier gevangen, evenals de alchemist en vrijmetselaar graaf Cagliostro. De schilder Mario Cavaradossi uit Puccini's opera 'Tosca' heeft er echter nooit vastgezeten – zijn terechtstelling in Castel Sant' Angelo in de laatste akte van de opera is aan de fantasie van de librettist ontsproten.

Een schitterend uitzicht

Het bouwwerk is bereikbaar via een helling, die in de Romeinse tijd naar de grafkamer voerde en tegenwoordig op de binnenplaats uitkomt, waar verdedigingswapens en stenen munitie te zien zijn. Aan de rechterkant liggen de eerste pauselijke vertrekken, die begin 16e eeuw door Perin del Vaga, een leerling van Rafaël, met mythologische taferelen zijn beschilderd. Interessant is ook het met fresco's en echte mosselen versierde bad van Julius II, de paus die de Zwitserse Garde – de nieuwe pauselijke lijfwacht – oprichtte.

Van de binnenplaats voert een trap naar de beruchte gevangenis. In twee op grotten lijkende opslagruimtes konden 22.000 l olie en grote hoeveelheden graan worden opgeslagen. De (kokende) olie diende ter verdediging van het kasteel. Del Vaga en zijn leerlingen beschilderden ook de schitterende woonvertrekken van paus Paulus III op de bovenverdieping, waar taferelen uit het leven van Alexander de Grote en de apostel Paulus zijn afgebeeld.

Vanaf de rondgang onder de figuur van de engel heeft u een magnifiek uitzicht op Rome; hier bevindt zich ook een terras.

• •

Inlichtingen en openingstijden

Castel Sant' Angelo: Lungotevere di Castello 50, tel. 06 39 96 76 00, castelsantangelo.com, di.-zo. 9-19 uur, toegang € 7 / € 3,50 (plus € 2 extra als er een tentoonstelling is).

Eten en drinken

Hoewel intussen algemeen bekend is dat de huidige paus Benedictus XVI in de tijd dat hij nog kardinaal Ratzinger was regelmatig in het restaurant van de Oostenrijkse familie Macher at (tafel nr. 6), zijn de redelijke prijzen en de uitstekende bediening in de **Cantina Tirolese** 1 onveranderd gebleven (Via Giovanni Vitelleschi 23,

tel. 06 68 13 52 97, cantinatirolese.it, di.-zo. vanaf 11 uur, 's middags buffet € 8,50, 's avonds à la carte circa € 35). Voor uitstekende visgerechten en *antipasti* kunt u terecht bij **Benito e Gilberto al Falco** 2 (Via del Falco 19, tel. 06 686 77 69, dabenitoegilberto. com, di.-za. 12-14.30, 19-23 uur, à la carte circa € 50).

13 De 'koningin der wegen' – de Via Appia Antica

Kaart: ▶ Kaart 4
Vervoer: Bus: 218 vanaf Porta di S. Giovanni in Laterano of bus 118 vanaf Piramide (metro B). Vanaf station Termini ook Archeobus

De absolute kroon op een bezoek aan Rome is een wandeling of fietstocht over de Via Appia Antica. Over de 'koningin der wegen' marcheerden de Romeinse legioenen, vervoerden kooplieden hun waren en liet consul Crassus na de opstand van Spartacus zijn tegenstanders terechtstellen. En wie het zich kon veroorloven, liet langs deze weg zijn graf oprichten.

De naamgever van de Via Appia, consul Appius Claudius, liet de kaarsrechte Via Appia vanaf 312 v.Chr. aanleggen. In eerste instantie eindigde de weg in de Albaanse Bergen, waarna hij eerst tot Capua en later tot de 450 km verder gelegen havenstad Brindisi werd doorgetrokken. Vanwege de uitgestrekte catacomben ontwikkelde de Via Appia zich al vroeg tot een bedevaartsoord. De oorspronkelijke bestrating is slechts vanaf het grafmonument van Cecilia Metella bewaard gebleven.

Quo vadis?

Even voorbij de Porta San Sebastiano staat een kopie van de eerste mijlsteen. Eén mijl (*milia passum* – duizend schreden) staat gelijk aan 1481,50 m. Op een mijlsteen stond altijd de naam van de persoon die hem had opgericht, diens beroep, de bestemming van het stuk weg en de afstand naar belangrijke bestemmingen. Het kerkje bij de volgende kruising heet **Santa Maria in Palmis** 1 , ook wel 'Domine quo vadis' genoemd. Volgens de legende zou Jezus hier aan Petrus verschenen zijn, toen deze voor Nero vluchtte. 'Heer, waarheen gaat Gij?', zou Petrus hebben gevraagd, waarop Jezus antwoordde: 'Venio iterum crucifici' – 'Ik ga mij opnieuw laten kruisigen.' Daarop keerde Petrus berouwvol terug naar Rome.

Graven voor arm en rijk

Vanaf deze plek loopt een straatje omhoog naar de **Catacomben van Calixtus** 🔢, die genoemd zijn naar de Romeinse bisschop Calixtus I. Dit was het eerste christelijke catacombencomplex van de stad. Het was wettelijk verboden om doden binnen de stadsmuren te begraven. Daarom kozen de Romeinen de bermen van de verbindingswegen als begraafplaats.

De Via Appia Antica gold als de belangrijkste weg en was daarom een populaire locatie om te worden begraven. Naast de dure bovengrondse grafmonumenten waren er al in de voorchristelijke tijd ondergrondse gemeenschappelijke grafcomplexen, die op een aantal niveaus waren aangelegd. Vanuit het oogpunt van kostenbesparing kozen de meeste mensen hiervoor. De gangen van deze graven zijn met schilderingen, inscripties en christelijke symbolen versierd. In de onmiddellijke nabijheid bevinden zich ook de **Catacomben van Domitilla** 🔢 en de **Catacomben van Sebastianus** 🔢.

Na de kerk San Sebastiano begint het rustiger gedeelte van de Via Appia. Links ziet u de resten van een prachtig grafmonument dat keizer Maxentius aan het begin van de 4e eeuw in de stijl van het Pantheon voor zijn jong gestorven zoon Romulus liet oprichten. Ook het **Circus van Maxentius** 🔢, waar net als in het Circus Maximus wagenrennen werden gehouden, werd ter nagedachtenis van de jongen gebouwd. De obelisk die het circus sierde, staat nu bij de Fontana dei Quattro Fiumi op de Piazza Navona.

Een van de bekendste monumenten langs Via Appia Antica is het **grafmonument van Cecilia Metella** 🔢, waarvoor ook Goethe zich liet portretteren. Het met travertijn beklede ronde bouwwerk is versierd met reliëfs die herinneren aan de veldtochten in

Gallië van generaal Crassus, de schoonvader van Cecilia Metella.

Via de 'snelweg' de Romeinse Campagna in

Na de volgende kruising begint het landschappelijk mooiste gedeelte van de Via Appia. Pijnbomen en cipressen omzomen hier de weg en u hebt een mooi uitzicht over de Romeinse Campagna. Er lopen kuddes schapen en in de verte verrijzen de schilderachtige overblijfselen van vervallen aquaducten.

Hier is duidelijk te zien hoe uitgekiend de Romeinse wegenbouw was. Naadloos liggen de aan de onderkant kegelvormige basaltstenen tegen elkaar. Dankzij de vaste wegbreedte van 14 Romeinse voet (ongeveer 4,15 m) konden twee wagens elkaar gemakkelijk passeren. Aan weerszijden van de rijweg lagen voetpaden van aangestampte aarde. Niet ten onrechte werd de Via Appia ook al in de oudheid als 'snelweg' betiteld.

Met de fiets of de Archeobus naar het 'oude Rome'

Op de fiets of met de Archeobus is het zeker de moeite waard een eindje om te rijden naar de aan de Via Appia Nuova gelegen **Villa dei Quintili** 🔢,

Overigens: wie een beetje Italiaans verstaat, kan deelnemen aan een van de vele **excursies naar de Via Appia Antica**, die in de lente en de herfst worden georganiseerd. Er is keus te over: van bezichtigingen tot wandelingen en fietstochten – er zijn zelfs nachtwandelingen. Hierbij worden ook bezienswaardigheden bezocht die op particulier terrein liggen en anders moeilijk toegankelijk zijn. Inlichtingen: parcoappia antica.it.

die vanwege zijn omvang 'Roma vecchia', het 'oude Rome', werd genoemd. Het door de kunstzinnige broers Quintilius gebouwde landgoed omvat onder andere een nymphaeum, een hippodroom, woonhuizen, waterreservoirs en een groot complex met thermen. Alleen al aan de arcaden van het nabijgelegen aquaduct is af te lezen hoe reusachtig dit complex moet zijn geweest. Naar verluidt zou keizer Commodus de beide broers Quintilius hebben laten vermoorden om deze villa in bezit te krijgen.

Inlichtingen

Parco Appia Antica: Via Appia Antica 58-60, ma.-do. 9.30-13.30, 14.30-17.30 uur, vr. alleen in de ochtend, parcoappiaantica.it.

Openingstijden en toegang

Catacomben: 9-12, 14-17 uur, € 8 / € 5.
San Callisto: Via Appia Antica 110/126, tel. 06 513 01 51, catacombe.roma.it,

wo. en in febr. gesl.
Santa Domitilla: Via delle Sette Chiese 282, di. en in jan. gesl., tel. 06 511 03 42, domitilla.soverdi.com.
San Sebastiano: Via Appia Antica 136, zo. en 10 nov.-10 dec. gesl., tel. 06 785 03 50, catacombe.org.

Circus van Maxentius: Via Appia Antica 153, di.-zo. 9-13 uur, € 3 / € 1,50.
Grafmonument van Cecilia Metella: Via Appia Antica 161, di.-zo. 9 uur tot een uur voor zonsondergang, in de winter tot 16.30 uur, toegang zie Appia Antica Card, blz. 25.
Villa dei Quintili: Via Appia Nuova 1092, openingstijden als graf Cecilia Metella, apr.-okt. za., zon- en feestdagen, ingang ook Via Appia Antica 290.

Fietsverhuur

Bij het infopunt, Catacomben van Sebastianus en het Appia Antica Caffè.

Eten en drinken

Da Franca  (Via Appia Antica 28, tel. 06 513 67 92, ma.-vr. 12.30-14.30 uur, circa € 15) is een eenvoudige gelegenheid met traditionele gerechten. Voor de beste Romeinse keuken gaat u naar de **Osteria Priscilla** (Via Appia Antica 68, tel. 06 513 63 79, ma.-za. 13-15, 20.15- 23 uur, zo., febr. en aug. gesl., circa € 23). Ook in het **Appia Antica Caffè** (nr. 175, di.-zo. 9-18 uur, appiaanticacaffe.it) bij het grafmonument van Cecilia Metella kunt u heerlijk eten.

⑭ Een hedendaags meesterwerk – het MAXXI

Kaart: ▶ Ten noorden van D 1
Vervoer: Bus: 910 vanaf Termini, Tram: 2 vanaf Piazza del Popolo

Dankzij een welbewuste cultuurpolitiek trokken rond de eeuwwisseling internationaal befaamde architecten naar de Eeuwige Stad. Na het Auditorium, de nieuwe musea van Ara Pacis en MACRO opende in 2010 het door Zaha Hadid ontworpen MAXXI, het museum voor kunst uit de 21e eeuw, zijn deuren.

In een zijstraat van de Via Flaminia wordt het oog getroffen door een ontwerp van de in 1950 in Bagdad geboren architecte Zaha Hadid – het MAXXI **1**. Hadid, die als de meest kosmopolitische architect van deze eeuw geldt, heeft zich vooral laten inspireren door het deconstructivisme.

Een aanval op de dictatuur van de rechte hoeken

Als een gestrande UFO ligt het slangvormige betonnen bouwwerk tussen een zee van huizen. Waar vroeger een strakke, rechthoekige kazerne stond, slingert nu een gebouw als twee gigantische over elkaar heen gevallen slierten spaghetti. Hadid heeft de dictatuur van de rechte hoeken de wacht aangezegd. Haar devies is: 'Mijn gebouwen moeten vloeien en hun omgeving in hun stroom meevoeren'. Het MAXXI heeft geen vast middelpunt, voortdurend lijkt het perspectief te veranderen en te verschuiven.

Dynamische architectuur

Ook het inwendige van het museum wordt gekenmerkt door dynamiek. Onmiddellijk bij binnenkomst staat de bezoeker in een 20 m hoge hal, waaraan slingerende trappen en bruggen lijken te ontspringen, die nu eens naar brede, dan weer naar smalle vertrekken met gebogen wanden leiden. Dankzij de harmonieuze proporties wordt pas geleidelijk duidelijk hoe groot het gebouw feitelijk is. De architect wilde geen cultuurpakhuis met rechthoekige zalen scheppen, maar vitale vertrekken, die voortdurend aan vormveranderingen onderhevig lijken te zijn. De tovenares van het 'vloeibare bouwen' heeft hier geen omlijsting voor een kunstcollectie geschapen – het gebouw zelf is het kunstwerk.

Een nieuw perspectief voor kunst en architectuur

Daarmee kwam Hadid tegemoet aan de wensen van de opdrachtgevers, die hun zinnen hadden gezet op flexibele expositieruimtes. Er wordt met spanning naar uitgezien hoe de inrichters van tentoonstellingen de werken in de toekomst in dit gebouw zullen presenteren. Het MAXXI bezit momenteel een collectie van 350 kunstwerken, waaronder werken van Alighiero Boetti, Francesco Clemente, Mario Merz en Gerhard Richter, evenals duizenden documenten van architectonisch belang. Het staat wel vast dat het gebouw de conservators voor grote uitdagingen zal plaatsen. Alleen al het bouwwerk zelf is een bezoek waard. Naar aanleiding van de opening schreef een journalist: 'Het museum nodigt uit er geheel in op te gaan, onszelf te verliezen in zijn schoonheid en zijn altijd wisselende perspectieven.'

• •

Inlichtingen en openingstijden

MAXXI: Via Guido Reni 4, fondazione maxxi.it, di.-zo. 11-19, do. tot 22 uur, € 11 / € 7.

In de buurt

Het in 2002 geopende Auditorium  van toparchitect Renzo Piano (Viale Pietro de Coubertin 30, info tel. 06 80 24 12 81, dag. 11-20 uur, kaarten via auditorium.com of tel. 06 06 08, bus: 53, 217, 231, 910, metro: A tot Flaminio, verder met tram 2) wordt wel een tweede Colosseum genoemd. Het is het grootste muziekcomplex van Europa en bestaat uit drie concertzalen, een openluchttheater, restaurants en winkels, en heeft zich tot een middelpunt van het culturele leven ontwikkeld. In de foyer zijn restanten van een villa uit de oudheid te zien. Za., zon- en feestdagen om de 60 min. rondleidingen (in het Italiaans).

Eten en drinken

Een stijlvolle ambiance en heerlijk eten: **Restaurant ReD** in het Auditorium, Via P. de Coubertin 12, tel. 06 80 69 16 30, redrestaurant.roma.it, dag. 8.30-2 (cafetaria), 12.30-15 (buffet), 19-24 (aperitief), 20-24 uur (à la carte), 's middags vanaf € 15, 's avonds vanaf € 40. De beste slow-foodkeuken heeft de **Trattoria Lo Sgobbone**, Via di Podesti 10, tel. 06 323 29 94, zo. gesl., € 30.

⑮ Een vakantieplaats van keizers en pausen – Tivoli

Kaart: ▶ Kaart 5
Vervoer: Zie blz. 73

Dankzij de schilderachtige ligging was Tivoli – dat destijds Tibur werd genoemd – al in de oudheid een ideale vakantieplaats. Na keizer Hadrianus zochten ook kardinalen en pausen hier in de zomermaanden verkoeling. Tivoli is nog steeds een sprookjesachtige plaats, met uitgestrekte parken, fonteinen, ruïnes en villa's uit de oudheid.

Wie vanaf Tivoli uitkijkt over de Campagna begrijpt meteen waarom dit stadje aan de rivier de Aniene al in de oudheid een geliefd toevluchtsoord was van rijke inwoners uit de grote stad. Cassius, de kunstbeschermer Maecenas en keizer Hadrianus hadden hier al hun zomervilla's. Zij kwamen er niet alleen voor de schitterende ligging, maar ook vanwege de warme zwavelbronnen, waar u op de rit over de Via Tiburtina in Bagni di Tivoli langs komt. Rond Tivoli liggen grote steengroeven waar travertijn werd gedolven – het gesteente waarvan niet alleen het Colosseum, maar ook tal van andere bouwwerken uit de oudheid zijn opgetrokken.

In de 18e en 19e eeuw trokken de schilderachtige ruïnes te midden van het pittoreske landschap tal van landschapsschilders en andere kunstenaars; elke reiziger naar Rome heeft ze wel vereeuwigd. Vanzelfsprekend is ook Goethe hier geweest. Hij was vooral diep onder de indruk van de eenheid van natuur en cultuur in Tivoli, waarover hij schreef: 'De watervallen, de ruïnes en het gehele landschap – wie dit ziet, wordt tot in het diepst van zijn ziel getroffen'. Tegenwoordig staan de villa's van Tivoli op de Werelderfgoedlijst van de UNESCO.

Een schilderachtige waterval

De **Villa Gregoriana** ⬛ bevindt zich niet ver van de middeleeuwse stadskern aan de oostelijke rand van Tivoli. Nadat de Aniene voor de zoveelste keer buiten haar oevers was getreden, liet paus Gregorius XVI de rivier omleiden en in de kloof van de Aniene een park aanleggen. Overschaduwde paden voeren door een ruig, romantisch landschap en langs geheimzinnige grotten. De inspanning van de beklimming en de afdaling wordt beloond door een grandioos uitzicht op een meer dan 100 m hoge waterval. De uit de Romeinse tijd stammende overblijfselen van de ronde Vestatempel en de rechthoekige tempel van de Tiburtijnse Sybille, die pal boven de kloof liggen, zijn bijzonder schilderachtig.

Symfonie van fonteinen, lichtspel en weelderig groen

De imposante **Villa d'Este** ⬛ (genoemd naar de bouwer, kardinaal Ippolito II d'Este) vormt een contrast met de Villa Gregoriana. Eigenlijk had de eerzuchtige kardinaal, een zoon van Lucrezia Borgia en een neef van paus Alexander VI, zijn zinnen gezet op de pauselijke troon. Toen deze ambitie te hoog gegrepen bleek, maakte hij zich onsterfelijk met de aanleg van een van de mooiste barokke tuinen van Europa, die een mijlpaal vormt in de geschiedenis van de tuinarchitectuur.

De naar een ontwerp van Pirro Ligorio opgetrokken villa biedt een schitterend uitzicht over de laagvlakte van Rome. De grootste bezienswaardigheid is echter de op terrassen aangelegde watertuin met meer dan vijfhonderd fonteinen, watervalletjes en kanaaltjes. Waar u ook kijkt, overal klatert water. Het is afkomstig uit de rivier de Aniene, die in Rome in de Tiber uitmondt. Een verwijzing naar Rome is te vinden op de kleine Romettafontein, waarop de Tiber en het eiland in de Tiber zijn afgebeeld, evenals Romulus en Remus, die door de wolvin gezoogd worden.

De Villa d'Este in Tivoli

Overigens: vanaf 1867 was Franz Liszt dikwijls te gast bij kardinaal Gustav Adolf Hohenlohe in de Villa d'Este. De watertuin inspireerde hem tot zijn beroemde pianostuk 'Jeux d'eau à la Villa d'Este'. Hier gaf de beroemde componist, pianist en dirigent ook een van zijn laatste concerten.

Vakantieplaats van een keizer

Een eindje buiten het huidige Tivoli ligt de **Villa Adriana** 3, die genoemd is naar de kunstzinnige keizer Hadrianus (117-138). Deze voorname buitenplaats, die bijna even groot was als Pompeï diende als zomerresidentie van de keizer en als plek waar welgestelde ouderen zich terugtrokken. Het meer als 120 ha grote complex bood plaats aan ongeveer 20.000 mensen. Een maquette aan het eind van de geasfalteerde weg door het opgravingsterrein geeft een goede indruk hoe de villa er ooit moet hebben uitgezien. Ook de ruïnes

van de talloze bouwwerken zijn bijzonder indrukwekkend. Behalve het keizerlijk paleis stonden er tempels, badhuizen, bibliotheken en utiliteitsgebouwen, zoals een kazerne voor de Praetoriaanse Garde. Veel gebouwen hebben betrekking op plaatsen die Hadrianus tijdens zijn vele reizen heeft aangedaan.

De namen van de verschillende onderdelen van het complex zijn meestal willekeurig gekozen. Alleen het Canopusdal, met een 120 m lang, door zuilen en beelden omringd waterbekken, dat uitloopt op een door fonteinen en beelden verfraaid nymphaeum, is een kopie van het gelijknamige dal in Egypte. De beelden zijn kopieën van Griekse meesterwerken, zoals de zes Kariatiden aan de westzijde, die Hadrianus in het Erechtheion op de Acropolis had gezien. De keizers trokken zich terug in het zogenaamde Teatro Marittimo, een kunstmatig eilandje dat van alle luxe was voorzien, zoals een klein badhuis.

Inlichtingen en openingstijden

Villa Adriana: villa-adriana.net (Engels), dag. 9 uur tot 1 uur voor zonsondergang, 's winters tot 17 uur, € 6,50 / € 3,25 plus € 2,50 bij speciale tentoonstellingen.
Villa d'Este: Piazza Trento 5, villadestetivoli.info, dag. 8.30-19.45, 's winters tot 17 uur, € 6 / € 3.
Villa Gregoriana: Piazza Tempio di Vesta, villagregoriana.it, april-half okt. di.-zo. 10-18.30, maart en half okt.-nov. tot 14.30 uur, € 5 / € 2,50.

Bereikbaarheid

Tivoli ligt circa 35 km ten oosten van Rome en is met de auto te bereiken via de Via Tiburtina en met de trein FR2 vanaf Termini of Tiburtina. U kunt ook vanaf Ponte Mammolo (metro B) de

Cotral-bus Via Tiburtina naar de Villa d'Este en de Villa Gregoriana nemen, of de Cotral-bus Via Prenestina naar de Villa Adriana (om de 1-2 uur). Een andere mogelijkheid is de Cotral-bus Via Tiburtina naar het dorp Villa Adriana, vervolgens de bus naar het opgravingsterrein of circa 20 min. lopen.

Eten en drinken

U kunt heerlijk eten bij de ronde tempel van Sybille: **Sibilla** 1, Via della Sibilla 50, tel. 07 74 33 52 81, ristorante sibilla.com, di.-zo. 12.30-14.45, 19.30-20.30 uur, vanaf € 30 (ook in de openlucht). In de Villa Gregoriana zijn picknickplekjes, in de Villa d'Este een uitnodigend café, in de Villa Adriana alleen een bar bij de ingang.

Archeologische vindplaatsen en opgravingen

Ara Pacis Augustae ▶ E 3

**Lungotevere in Augusta,
arapacis.it, di.-zo. 9-19 uur, toegang
€ 6,50 / € 4,50, bus: 81, 117, 119, metro:
Flaminio (A)**

Het Altaar van de Augusteïsche Vrede werd in 9 v.Chr. opgericht als eerbetoon van de Senaat aan keizer Augustus, die een eind had gemaakt aan de Romeinse burgeroorlogen en de rust in de Romeinse wereld had hersteld. Op het meesterlijke bas-reliëf zijn offers van de keizerlijke familie uitgebeeld, evenals de genealogie van het Romeinse volk en het gouden tijdperk onder de vredestichter Augustus. Het lichte, nieuwe museum is een schepping van de Amerikaanse architect Richard Meier. Pal daarnaast bevinden zich de door bomen omzoomde overblijfselen van het mausoleum van Augustus, dat ooit 87 m breed en 40 m hoog was.

Arco di Costantino ▶ G 6

**Piazza del Colosseo, metro: Colosseo
(B), bus: 60, 75, 85, 87, 117, 175, 810,
850**

De Boog van Constantijn wordt beschouwd als de mooiste van alle Romeinse triomfbogen. Hij is opgericht ter herinnering aan de overwinning van Constantijn, de eerste christelijke keizer, op Maxentius. Om de bouw snel te kunnen realiseren, maakte men gebruik van materialen uit gebouwen uit

de oudheid. Zo stammen de reliëfs van gevangenen op de sokkel uit de tijd van Trajanus, een deel van de boog zelf uit de tijd van Hadrianus en de reliëfs naast de inscriptie uit de periode van Marcus Aurelius.

Fori Imperiali ▶ F/G 5/6

**Via dei Fori Imperiali, metro:
Colosseo (B), bus: 60, 84, 85, 87, 175**

Naast het Forum Romanum (zie blz. 36) werden vanaf 54 v.Chr. de zogenaamde keizerfora aangelegd. Het **Foro di Caesare** met de tempel van Venus Genitrix, de legendarische stammoeder van het Juliaanse geslacht, werd door Caesar zelf gefinancierd om zijn roem voor eeuwig te verzekeren. Op het **Foro di Augusto** staat de tempel van Mars Ultor, de wrekende oorlogsgod, centraal. De hoge muur diende als brandbeveiliging tussen de voorname gebouwen van de fora en de armeluiswijk Subura. Het aangrenzende **Foro di Nerva** werd in 97 in gebruik genomen en deed dienst als verbindingsschakel tussen de fora en de woonwijken. Het **Foro di Vespasiano**, waar de Tempel van de Vrede stond (hier was de buit uit de oorlog van Vespasianus tegen de Joden opgeslagen), ligt nog altijd onder de Via dei Fori Imperiali begraven. Op het grootste en mooiste keizerforum, het **Foro di Traiano**, ziet u de indrukwekkende restanten van de zuilen van de vijfschepige Basilica Ulpia, evenals de Zuil van Trajanus, waar op een ongeveer 200 m lange, spiraalvormige rond de zuil lopende strook met reliëfs de oorlogen van de keizer tegen de Daciërs zijn uitgebeeld. In de richting van de Quirinale staan de markthallen van Trajanus, een winkelcentrum uit de oudheid van meerdere verdiepingen. Sinds november 2007 is hier het **Museo dei Fori Imperiali** gevestigd (ingang aan de Via IV Novembre 94, di.-zo. 9-19 uur, toegang € 6,50 / € 4,50, audioguide € 3,50, mercatiditraiano.it).

Ostia Antica – de oude haven van Rome ▶ zie kaart 5

Di.-zo. 8.30-18, 's winters tot 16 uur, toegang € 6,50 / € 3,25, verhuur van audioguides. Bereikbaarheid: met de auto over de Via Ostiense / Via del Mare of de A 201 richting Ostia. Met metro B van Termini tot Piramide of EUR Magliana, daar overstappen op de trein Roma-Ostia, uitstappen in Ostia Antica (B.I.T.-ticket geldig)

Bij de met pijnbomen omzoomde opgravingen van Ostia Antica heerst een weldadige rust. De in de 4e eeuw v.Chr. gestichte havenstad diende ooit als militaire basis en bevoorradingsstation van Rome. In de bloeiperiode woonden er zo'n 100.000 mensen aan de monding van de Tiber (het Latijnse *ostium* betekent monding). Maar terwijl Rome altijd bewoond is gebleven, werd Ostia vanwege de dichtslibbing van de haven vanaf de 2e eeuw n.Chr. geleidelijk verlaten. In de loop van de eeuwen verschoof de kustlijn steeds verder; tegenwoordig ligt Ostia Antica meer dan 1,5 km van de Tyrrheense Zee verwijderd. Een geluk voor het nageslacht, want tijdens opgravingen kon een complete antieke stad worden blootgelegd: woningen tot vier verdiepingen hoog, grote pakhuizen, hele handelswijken, een theater dat plaats bood aan 3000 bezoekers, ontelbare thermen en tempels, en zelfs een *osteria* met een geschilderde menukaart. De plattegrond bij de ingang geeft een goed overzicht van het circa 100 ha grote opgravingsterrein. Een bezoek aan het museum is beslist de moeite waard. U vindt er ook een cafetaria en een boekwinkel, en u kunt een blik werpen op de huidige Tiber.

Teatro di Marcello ▶ E 6

Via del Portico d'Ottavia 29, dag. 9-18, 's zomers tot 19 uur, bus: H, 23, 63, 81, 95, 280

Caesar begon met de bouw van dit theater, dat plaats bood aan circa 15.000 mensen, maar het kwam pas in 13 v.Chr. onder keizer Augustus gereed en werd genoemd naar diens schoonzoon. De bouwwijze – met name de ordening van de zuilen – diende als voorbeeld voor het Colosseum. In de zomer worden er openluchtconcerten gegeven.

Terme di Caracalla ▶ G 8

Via delle Terme di Caracalla 52, ma. 9-14, di.-zo. 9 uur tot 1 uur voor zonsondergang, apr.-aug. tot 19.15 uur, toegang combiticket € 6 / € 3, metro: Circo Massimo (B)

De 327 bij 337 m grote thermen, die keizer Caracalla aan het begin van de 3e eeuw liet aanleggen, boden plaats aan circa 3000 mensen. Ruimten met vloerverwarming, bibliotheken, rust- en sportruimten, mozaïeken en banken boden ook de eenvoudige Romein de mogelijkheid om voor korte tijd in luxe te baden. De imposante ruïnes, die door aardbevingen beschadigd en door de pausen geplunderd werden, dienen vandaag de dag als decor voor operauitvoeringen.

Fonteinen en pleinen

Fontana di Trevi ▶ F 4

bus: 62, 116, 117, 119

De Fontana di Trevi, misschien wel de beroemdste fontein ter wereld, werd in de 18e eeuw ontworpen door Nicola

Salvi. Voor het barokke decor van een gestileerde triomfboog is Neptunus afgebeeld, geflankeerd door figuren die reinheid en overvloed symboliseren. Regisseur Fellini vereeuwigde de spectaculaire fontein in zijn film 'La Dolce Vita', waarin Anita Ekberg als een uit schuim geboren Venus uit het water oprijst. Volgens de traditie zal iedereen die – met de rechterhand over de linkerschouder – een munt in het water werpt, ooit naar Rome terugkeren.

Piazza del Popolo ▶ E 2

Piazza del Popolo, metro: Flaminio (A), bus: 117, 119

Dit plein, waar tegenwoordig popconcerten en politieke manifestaties worden gehouden, was vroeger het ontvangstterrein voor alle bezoekers uit het noorden. Blikvanger van het plein, dat zich straalsgewijs naar de Via del Babuino, Via del Corso en Via di Ripetta uitstrekt, is de Egyptische obelisk die paus Sixtus V van het Circus Maximus hierheen liet verplaatsen. Om de bezoeker kennis te laten maken met de pracht en praal van de stad liet paus Alexander VII de barokke tweelingkerken Santa Maria dei Miracoli en Santa Maria in Montesanto optrekken. De classicistische vormgeving heeft het plein aan de architect Valadier te danken, die de halfronde plantsoenen, de fonteinen, de leeuwen en het terras van de Pincio ontwierp. Vanaf dit terras hebt u een schitterend uitzicht over de stad. Vanwege de imposante schilderijen van Caravaggio, de 'Bekering van Paulus' en de 'Kruisiging van Petrus' (1600-1601), trok de **Santa Maria del Popolo** (dag. ma.-za. 7.30-12, 16-18, zo. 8-13.30, 16.30-18 uur) al lang voor de kerk door de roman 'Het Bernini-mysterie' van Dan Brown befaamd werd veel bezoekers. De schilderijen hangen in de Cerasi-kapel links van het hoofdaltaar. Tijdgenoten van

Caravaggio waren gechoqueerd door zijn harde, realistische stijl.

Kerken

San Clemente ▶ H 6

Via di San Giovanni in Laterano, basilicasanclemente.com, ma.-za. 9-12.30, 15-18, zon en feestdagen 12-18 uur, toegang € 5 / € 3,50 , metro: Colosseo (B), bus: 75, 81, 85, 87

In een van de fascinerendste sacrale gebouwen van de stad kunt u een tijdreis door de geschiedenis van Rome maken. In de 12e eeuw werd de San Clemente over een oudere kerk heen gebouwd. Ondanks verbouwingen in de 18e eeuw (uit die tijd stamt het vergulde cassetteplafond) is een aantal

Piazza del Popolo met de kerken Santa Maria in

elementen uit het interieur bewaard gebleven, zoals de mooie marmeren intarsia in de vloer, de imposante kaarsenhouder en het altaarciborium (overhuiving van het altaar). De goudkleurige mozaïeken van de triomfboog en de apsis, die de verheerlijking van het kruis als thema hebben, zijn magnifiek. In de Cappella di Santa Caterina, links van het portaal, zijn renaissancistische fresco's van de Florentijn Masolino da Panicale (rond 1430) te bewonderen. Ook een bezoek aan de opgravingen is zeer de moeite waard. In de door de Noormannen verwoeste drieschepige zuilenbasiliek uit de 4e eeuw zijn nog restanten van fresco's uit de 9e-11e eeuw te zien. Een paar meter dieper brachten Romeinse legionairs in een overwelfde ruimte met bloedige stierenoffers een eerbetoon aan de god van het licht, Mithras. Nog dieper liggen resten van woningen uit de tijd van Caesar. Via een opening kunt u het ruisen van de Cloaca Maxima horen, met behulp waarvan de Etrusken 2600 jaar geleden het latere Forum drooglegden.

San Giovanni in Laterano ▶ J 7

Piazza di Porta San Giovanni / Piazza San Giovanni in Laterano, metro: San Giovanni (A), bus: 85, 117, dag. 7-18.30 uur

'Hoofd en moeder van alle kerken van Rome en de hele wereld' luidt de inscriptie op de gevel. Totdat de pausen zich aan het eind van de 14e eeuw in

Montesanto en Santa Maria dei Miracoli

het Vaticaan vestigden was deze kerk, die ten tijde van keizer Constantijn in 313 werd gesticht, samen met het aangrenzende Lateranenpaleis de residentie van de paus en het middelpunt van de christelijke wereld. De San Giovanni bleef ook daarna de bisschoppelijke kerk van Rome en de belangrijkste van de zeven pelgrimskerken.

In de loop van de eeuwen is de kerk diverse keren verbouwd en vergroot. Van de vroegchristelijke basiliek is alleen nog het vijfschepige grondplan te herkennen. De al van verre zichtbare gevel met zijn vijftien beelden werd ontworpen door de architect A. Galilei. Het bronzen hoofdportaal komt uit de Curia op het Forum Romanum. Ter gelegenheid van het Heilig Jaar 1650

voerde Borromini in opdracht van paus Innocentius X een barokke verbouwing uit. Het vergulde cassetteplafond uit de 16e eeuw en de mooie vloer met ingelegd marmer uit de 15e eeuw zijn prachtig bewaard gebleven. Op een restant van een fresco op de achterzijde van de eerste pilaar rechts is paus Bonifatius VIII te zien bij de aankondiging van het eerste Heilige Jaar 1300.

In het midden van de kerk staat het met een gotisch baldakijn getooide pauselijk altaar. De zilveren busten in het baldakijn bevatten relieken van Petrus en Paulus. In het koor ziet u een goudkleurig mozaïek uit de 13e eeuw, met daaronder een met edelstenen ingelegd kruis en afbeeldingen van de twee heiligen Franciscus van Assisi en

Paus Benedictus XVI op 26 mei 2009 in de San Giovanni in Laterano

Antonius van Padua. In de hoeken hebben de kunstenaars zichzelf met hun werktuigen vereeuwigd. Een prachtig voorbeeld van middeleeuws ingelegd marmer is te zien in de 13e-eeuwse kruisgang (toegang via het linkerzijschip). Via het rechterzijportaal betreedt u de Piazza San Giovanni in Laterano, waar de grootste en oudste obelisk van Rome staat. Het achthoekige Battistero Lateranense (links), dat eveneens onder keizer Constantijn is opgetrokken, heeft als voorbeeld gediend voor alle latere christelijke doopkapellen.

De Scala Santa (6.15-12, 15.30-18.30, 's winters 6.15-12, 15-18 uur) in het gebouw rechts van het hoofdportaal is een trekpleister voor pelgrims. Over de

28 met marmer beklede houten treden zou Christus naar Pontius Pilatus zijn gelopen.

Santa Croce in Gerusalemme ▶ L 7

Piazza di Santa Croce in Gerusalemme 12, basilicasantacroce.com, dag. 7.30-12.30, 15.30-19.30 uur, metro: San Giovanni (A), bus: 9, 81, 87, tram: 3

Deze in de 18e eeuw gerestaureerde kerk – een van de zeven pelgrimskerken van Rome – werd in de 4e eeuw door keizer Constantijn gesticht en biedt tegenwoordig onderdak aan enkele belangrijke relieken: de kruisrelikwie uit Jeruzalem, een spijker van het kruis, twee doornen uit de kroon van Jezus, een stuk van de spons waarmee het voorhoofd van Jezus werd afgeveegd en een vinger van de ongelovige Thomas. De barokke gevel met zijn afwisselend concave en convexe lijnen en ovaal voorportaal verraden onmiskenbaar de invloed van Borromini. In het koele inwendige is een frescocyclus van Antoniazzo Romano (1492) bewaard gebleven, dat de legende van het heilige kruis tot onderwerp heeft.

Sant' Ignazio ▶ E 4/5

Piazza Sant'Ignazio, dag. 7.30-12.20, 15-19.20 uur, bus: 62, 116, 117, 119

Dit 17e-eeuwse godshuis, dat gewijd is aan Ignatius van Loyola, de stichter van de jezuïetenorde, werd in opdracht van kardinaal Ludovico Ludovisi gebouwd voor het Collegio Romano, het eerste jezuïetencollege. Het door de jezuïet Andrea Pozzo vervaardigde fresco op het plafond, dat u het beste vanaf op de vloer gemarkeerde punten kunt bekijken, is adembenemend mooi. Hoewel het fresco op een vlak oppervlak is geschilderd, heeft de kunstenaar de illusie van een koepel weten te wekken. Het plafondfresco heeft de opneming van de heilige Ignatius in het paradijs tot onderwerp. Aan de zijkanten zijn de vier destijds bekende werelddelen Europa, Azië, Amerika en Afrika afgebeeld.

San Luigi dei Francesi ▶ E 4

Piazza San Luigi dei Francesi, dag. 10-12.30, 16-19 uur, do.-middag gesl., bus: 81, 87, 116

De absolute trekpleister van deze sombere Franse kerk is de Contarelli-kapel met de fantastische Mattheüs-cyclus van Caravaggio (1599-1602). Met de dramatische lichteffecten en de uiterst realistische stijl van de schilderijen 'Mattheüs en de engel', 'Roeping van Mattheüs' en 'Martelaarschap van Mattheüs' brak de Italiaanse schilder Caravaggio met de geïdealiseerde manier van schilderen van zijn collega's. De hoogdravende classicistische frescocyclus 'Uit het leven van de Heilige Cecilia' (1612-1614) in de tweede kapel rechts vormt een groot contrast met het werk van Caravaggio.

San Paolo fuori le Mura

▶ ten zuiden van E 8

Via Ostiense / Piazzale di San Paolo, metro: San Paolo (B)

Tot de bouw van de Sint-Pieterskerk was deze vijfschepige basiliek de grootste kerk van Rome. De grafkerk van de apostel Paulus werd al onder keizer Constantijn gebouwd naar het voorbeeld van de Basilica Ulpia van Trajanus en is na een verwoestende brand in 1823 waarheidsgetrouw herbouwd. Indrukwekkend zijn de afbeeldingen van pausen aan de wanden. Alle 265 'plaatsvervangers van God' zijn op met mozaïek ingelegde medaillons geportretteerd. Uit de oude basiliek stammen nog de in 1070 in Constantinopel vervaardigde bronzen deuren, het gotische altaarciborium van Arnolfo di Cambio uit de 13e eeuw

en de 5,60 m hoge kaarsenstandaard van Vassalletto, een meesterwerk van romaanse beeldhouwkunst. Het gerestaureerde 13e-eeuwse mozaïek in de apsis toont een zegenende Jezus Christus met paus Honorius III aan zijn voeten. De 13e-eeuwse kruisgang, die door de kunstenaarsfamilie Vassalletto met een fonkelend mozaïek is ingelegd, mag u niet missen (toegang € 3).

San Pietro in Vincoli ▶ G 5

Piazza San Pietro in Vincoli, dag. 8-12.30, 15-18, 's zomers tot 19 uur, metro: Cavour / Colosseo (B), bus: 75, 84, 117

Achter deze onopvallende gevel bevindt zich een van de belangrijkste werken van Michelangelo: de Mozesfiguur voor de tombe van paus Julius II (1513). Het oorspronkelijke ontwerp van een vrijstaande, meerdere verdiepingen tellende tombe met meer dan veertig figuren, die bedoeld was voor de nieuwe Sint-Pieterskerk, werd vanwege onenigheden nooit verwezenlijkt. Pas lang na de dood van de paus werd in 1545 een kleinere variant in zijn voormalige titulaire kerk geplaatst. Het standbeeld, een meesterwerk van westerse beeldhouwkunst, toont Mozes op het moment dat hij met de Tien Geboden onder zijn arm van de berg Sinaï afdaalt en vol afkeer het volk Israëls om het Gouden Kalf ziet dansen. Zijn 'hoorns' heeft hij te danken aan een foutieve vertaling van de oorspronkelijke bijbeltekst, waarbij de stralen van de goddelijke verlichting hoorns werden genoemd. De ketens (vincoli) waarmee Petrus zou zou zijn geboeid bevinden zich onder het hoogaltaar.

Santa Maria in Cosmedin ▶ F 7

Piazza della Bocca della Verità, dag. 9.30-17, 's zomers tot 18 uur, bus: 23, 81, 170, 280

Dit kerkje is vooral beroemd vanwege een van de meest gefotografeerde bezienswaardigheden van Rome: de Bocca della Verità ('Muil van de waarheid'). Van oorsprong was dit een antiek putdeksel van de Cloaca Maxima, waarop het gezicht van een riviergod was afgebeeld, maar in de middeleeuwen werd de Bocca della Verità beschouwd als een soort leugendetector: wie zijn hand in de muil stak en een leugen vertelde, werd meteen gestraft. Overigens werd het lot een handje geholpen: achter het masker stond iemand met een zwaard om het 'godsoordeel' uit te voeren. De prachtige kerk met zijn hoge romaanse klokkentoren werd in de 6e eeuw op de overblijfselen van een antieke zuilenhal gebouwd. Het fraaie marmeren interieur met de mooi bewaard gebleven cosmatenvloer (vloer met ingelegd marmer) is vandaag de dag nog even indrukwekkend als vroeger.

Santa Maria Maggiore ▶ H 5

Piazza Santa Maria Maggiore, dag. 7-19 uur, bus: 70, 71, 84

Deze basiliek is de grootste van de circa tachtig Romeinse Mariakerken – vandaar de toevoeging *maggiore*. Volgens de legende liet paus Liberius op de plek waar hij op de ochtend van 5 augustus 358 sneeuw vond een kerk bouwen. In werkelijkheid liet Sixtus III het gebedshuis in 423 ter ere van Maria optrekken. Hoewel de gevel in de 18e eeuw is gemoderniseerd, heeft het uit drie schepen bestaande inwendige zijn vroegchristelijke karakter behouden. De mozaïeken op de wanden van het langschip tonen episodes uit het Oude Testament en stammen evenals de mozaïekcyclus met de belangrijkste gebeurtenissen uit het leven van Jezus op de triomfboog uit de 5e eeuw (om ze goed te zien, hebt u een verrekijker nodig). Op het 13-eeuwse mozaïek in de apsis zijn belangrijke episodes uit het leven van Maria afgebeeld, met als hoogtepunt haar kroning tot koningin van de hemel. Aan het eind van de 15e eeuw liet de door schandalen geplaagde Borgia-paus Alexander VI het houten cassettenplafond met het eerste uit Amerika afkomstige goud bekleden. De belangrijkste relikwieën van de kerk, splinters van de kribbe van Jezus, bevinden zich onder het pauselijke altaar. Daarvoor staat het beeld van een knielende paus Pius IX, die in 1854 het dogma van de onbevlekte ontvangenis van Maria verkondigde. In de prachtige kapellen in de dwarsbeuk bevinden zich de grafmonumenten van de pausen Sixtus V (rechts) en Paulus V (links).

Santa Maria sopra Minerva ▶ E 5

Piazza della Minerva, ma.-za. 7-19, zo. 8-13, 15-19 uur, bus: 52, 53, 56, 81, 95, 116, 119, 492

Deze door de dominicanen aan het eind van de 13e eeuw gebouwde kerk is de enige gotische kerk van Rome, ook al stamt de gevel uit de vroege renaissance en is het interieur meer dan eens verbouwd. Onder het hoofdaltaar ligt het stoffelijk overschot van de heilige Catharina van Siena, een van de beschermheiligen van Italië en de dominicaner orde. Tot de prachtige kunstwerken in deze kerk behoren het enigszins disproportioneel ogende beeld van de 'Opgestane Christus met het kruis' van Michelangelo (1519-1522), waarvan de vergulde lendendoek pas later is toegevoegd. In de Carafa-kapel aan het uiteinde van het rechterzijschip zijn fresco's van Filippino Lippi (1489-1493) te zien. Hierop zijn onder anderen (rechterwand onder) de latere Medici-pausen Leo X en Clemens VII vereeuwigd, die in deze kerk zijn bijgezet. In de kapel zelf ligt het graf van de beruchte Carafa-paus Paulus IV, die halverwege de 16e eeuw de Romeinse joden een getto in dwong. Bernini ontwierp de stenen olifant met de obelisk die voor de kerk staat. Uit ergernis over de orde van de dominicanen plaatste hij het dier met het achterwerk naar de kerk toe.

Musea en monumenten

Casa di Goethe ▶ E 3

Via del Corso 18, casadigoethe.it, di.-zo. 10-18 uur, toegang € 4 / € 3, bus: 117, 119, metro: Flaminio (A)

Het huis waarin Goethe samen met zijn vriend, de schilder Tischbein, van 1786-1788 woonde, is nu een museum en een Italiaans-Duits cultureel centrum.

Galleria Doria Pamphili ▶ E/F 5

Via del Corso 305, doriapamphili.it, dag. 10-17 uur, toegang € 9,50 / € 7, bus: 64, 81, 117, 119, 175

Het in de 15e eeuw opgetrokken en later vaak verbouwde *palazzo* behoort tot de grootste en mooiste van Rome en is nog altijd in particulier bezit. De magnifieke kunstcollectie in de weelderig ingerichte vertrekken kan echter bezichtigd worden. Bij de schilderijen staan geen bordjes met informatie over het werk, maar in plaats daarvan is er een audioguide die persoonlijk door de eigenaar is ingesproken bij de toegangsprijs inbegrepen. In dit museum is te zien hoezeer de visie op de manier waarop schilderijen gepresenteerd behoren te worden in de loop der tijd is veranderd. Aan ieder werk van Rafaël, Titiaan, Caravaggio, Tintoretto, Carracci of Guercino uit deze galerie zou in een ander museum ongetwijfeld een hele zaal zijn gewijd, maar hier hangen ze als een soort wandtapijt aan de wanden. Prachtig is het portret van paus Innocentius X van Velázquez, met daarnaast een buste van dezelfde paus van Bernini.

De Musei Capitolini werden in 1734 als eerste ope

Galleria Nazionale d'Arte Antica / Palazzo Barberini ▶ G 4

Via delle Quattro Fontane 13, di.-zo. 9-19 uur, toegang € 5 / € 2,50, metro: Barberini (A)

Het Palazzo Barberini is een van de mooiste barokke paleiscomplexen. De pas 25 jaar oude Barberini-paus Urbanus VIII gaf Carlo Maderno opdracht tot de bouw, die door Bernini en Borromini voltooid werd. Er is een schitterende schilderijenverzameling te zien, waarbij het zwaartepunt ligt op de 16e en 17e eeuw. Enkele meesterwerken zijn de zinnelijke 'Fornarina' van Rafaël, waarvoor zijn geliefde vermoedelijk model stond, 'Narcissus' en 'Judith en Holofernes' van Caravaggio en beroemde portretten als dat van Hendrik VIII van de hand van Hans Holbein. Op het

ter wereld geopend

monumentale plafondfresco in de grote salon bewierookt de schilder Pietro
da Cortona de familie Barberini.

MACRO (Museo D'Arte
Contemporanea di Roma ▶ J 2

**Via Reggio Emilia 54, di.-zo. 9-19 uur,
en dependance MACRO Future aan
de Piazza Orazio Giustiniani 4, di.-
zo. 16-24 uur, macro.roma.museum,
€ 4,50 / € 3, bus: 36, 60, 62, 84, 90;
MACRO Future: metro: Piramide (B)**
Eindelijk heeft ook Rome een museum
voor moderne kunst. De voormalige ju-
gendstilhallen herbergen niet alleen
het museum met zijn permanente collectie (alleen wo. 16 uur met gids te bezichtigen), maar zijn ook het decor van
wisselexposities en een tentoonstel-
lingsruimte voor jonge kunstenaars. De

dependance bevindt zich in de trendy
wijk Testaccio.

Monumento Nazionale a Vittorio
Emanuele ▶ F 5

**Piazza Venezia, 9.30-16, 's zomers
tot 17; lift: ma.-do. 9.30-18.30, vr.-zo.
tot 19.30 uur, € 7 / € 3,50, bus: 44, 46,
64, 84**
Dit reusachtige monument herinnert
aan de eenwording van Italië en de eerste Italiaanse koning, Vittorio Emanuele
II. Vanwege zijn suikerbakkersarchitec-
tuur was het lange tijd zeer omstreden.
Sinds de Eerste Wereldoorlog ligt hier
het Graf van de Onbekende Soldaat,
dat voortdurend door twee wachters
wordt geflankeerd. In het monument,
dat door de Romeinen vanwege zijn
vorm 'de schrijfmachine' of 'het gebit'

wordt genoemd, zijn dikwijls uitstekende tentoonstellingen te zien, terwijl de terrassen, die met een glazen lift bereikbaar zijn, een fantastisch uitzicht over Rome bieden.

Musei Capitolini ▶ F 6

Piazza del Campidoglio 1, musei capitolini.org, di.-zo. 9-20 uur, toegang € 11 / € 9, combiticket met Museo Montemartini mogelijk, bus: 60, 64, 84

Deze galerie met schilderijen en sculpturen werd in 1734 als eerste openbare museum ter wereld door paus Clemens XII geopend. In het Palazzo Nuovo is een aantal van de beroemdste beelden van Rome te zien, zoals de Capitolijnse Venus, een Romeinse kopie in marmer (3e eeuw v. Chr.) die gemaakt is naar het voorbeeld van de beroemde, door Praxiteles vervaardigde 'Aphrodite van Cnidus', en 'De stervende Galliër', een Romeinse kopie (ca. 220 v.Chr.) naar een bronzen beeld uit de school van Pergamon.

Een gang, van waaruit u een mooi uitzicht hebt op het Forum Romanum, voert naar het Palazzo dei Conservatori. Hier is een gehele zaal gewijd aan het originele ruiterstandbeeld van keizer Marcus Aurelius. Beroemd is ook het bronzen beeld 'Spinario' ('Doornuittrekker'; rond de 1e eeuw v.Chr.) en een van de symbolen van Rome: de Capitolijnse wolvin, een Etruskisch werk uit de 6e eeuw v.Chr. Op de binnenplaats ziet u fragmenten van een kolossaal standbeeld van keizer Constantijn uit de 4e eeuw n.Chr.

De tweede verdieping biedt onderdak aan de pinacotheek, met belangrijke werken van Caravaggio, Titiaan, Rubens en Guercino. Vanaf het dakterras van de cafetaria op het Palazzo Caffarelli hebt u een fantastisch uitzicht over Rome (openingstijden dezelfde als van de musea).

Museo Nazionale Romano

Het in 1889 gestichte museum is verdeeld over vijf locaties. Di.-zo. 9-19 uur (sluitingstijd 1 uur later), combiticket voor alle musea (3 dagen geldig): € 7 / € 3,50 (plus € 3 extra bij speciale tentoonstellingen)

Crypta Balbi: ▶ E 5 (Via delle Botteghe Oscure 31). In dit kleine, maar zeer interessante museum krijgt u een goede indruk van de ontwikkeling van een stadswijk door de tijden heen: een wijk met galerijen, tempels en kraampjes in de oudheid, met werkplaatsen van ambachtslieden in de middeleeuwen en met kloostercomplexen in een latere periode.

Palazzo Altemps: ▶ D 4 (Piazza Santa Apollinare 44). In het prachtig gerestaureerde renaissancistische Palazzo Altemps zijn antieke sculpturen van de Ludovisi-collectie te zien, zoals de Ares Ludovisi, de Ludovisi-troon, waarop de uit schuim geboren Aphrodite is afgebeeld, en de Ludovisi-sarcofaag, waarop taferelen uit een veldslag tussen Romeinen en barbaren uit de 3e eeuw zijn afgebeeld.

Palazzo Massimo alle Terme: ▶ H 4 (Largo di Villa Peretti 1). In de moderne tentoonstellingsruimten wordt een gevarieerde collectie uit de oudheid tentoongesteld. Op de eerste twee verdiepingen ziet u meesterwerken van beeldhouwkunst uit de oudheid, zoals het beeld van Augustus als pontifex maximus, de uiterst realistisch afgebeelde vuistvechter (70 v. Chr.), de marmeren Venus van Cyrene en de discuswerper Lancelotti. Op de tweede etage zijn prachtig bewaard gebleven wandschilderingen in eetzalen, slaapkamers en gangen uit de tijd van de Romeinse keizers te zien.

Terme di Diocleziano: ▶ H 4 (Viale Enrico de Nicola 78). De Thermen van Diocletianus staan geheel in het teken van de Romeinse inscripties.

Obelisken

De vele obelisken op fonteinen en pleinen zijn na de verovering van Egypte naar Rome overgebracht – de Romeinse keizers ontwikkelden destijds een ware obsessie voor dit land. Obelisken sierden ook heiligdommen en de arena van circussen. In de middeleeuwen raakten ze in de vergetelheid, maar paus Sixtus V liet ze opnieuw oprichten, met name op de pleinen voor kerken. Om ze aanvaardbaar te maken voor christenen werden de heidense monumenten ritueel 'gedoopt' en van een kruis voorzien.

Paleizen en villa's

Palazzo Farnese ▶ D 5

Piazza Farnese 6, bus: 46, 62, 64, 116. Het paleis, waarin tegenwoordig de Franse ambassade is gevestigd, is alleen na schriftelijke aanmelding (minstens 1-4 maanden van tevoren) te bezichtigen. Informatie: ambafrance-it.org

Het grootste particuliere *palazzo* van de stad vormt een hoogtepunt van de Romeinse renaissancebouwkunst en diende tot in het begin van de vorige eeuw als voorbeeld voor tal van andere *palazzi*. De bouw begon in 1516-1517 onder de eerzuchtige kardinaal Alessandro Farnese, de latere paus Paulus III. Aan het uit drie verdiepingen bestaande paleis is meer dan zeventig jaar gewerkt door de beste architecten van die tijd, onder wie Antonio Sangallo en Michelangelo. Voor de bouw werden stenen van het Colosseum en het Theater van Marcellus gebruikt. Kenmerkend voor de Romeinse bouwkunst uit de renaissance is de combinatie van het vormenidioom uit de oudheid met monumentale afmetingen. Aangezien het paleis tegenwoordig dienst doet als ambassade van Frankrijk zijn de schitterende, door Annibale en Agostino Carracci beschilderde vertrekken slechts zelden geopend voor het publiek. Het paleis werd beroemd door de tweede acte uit Puccini's opera 'Tosca'.

Villa Farnesina ▶ C/D 6

Via della Lungara 230, lincei.it, ma.-za. 9-13 uur, zon- en feestdagen gesl., toegang € 5 / € 4, bus: H, 23, 63, 280

De Villa Farnesina, een van de mooiste voorbeelden van een Romeins zomerverblijf uit de renaissance, werd in het begin van de 16e eeuw in opdracht van Agostino Chigi ontworpen door Baldassare Peruzzi. Deze bankier uit Siena was niet alleen de financier van pausen en kardinalen, maar telde ook tal van kunstenaars en humanisten tot zijn vriendenkring. Chigi was een liefhebber van pracht en praal – en van mooie vrouwen. Hier ontving hij kardinalen, vorsten, pausen, kunstenaars, en zijn talloze minnaressen.

De door Rafaël en diens leerlingen beschilderde loggia, die vroeger toegang bood tot een sprookjesachtige tuin, vormde een passende achtergrond voor zijn amoureuze avonturen: al deze fresco's hebben betrekking op de mythe van Amor en Psyche. Ook in het paleis zelf zijn tal van mooie vrouwen afgebeeld, zoals de eveneens door Rafaël geschilderde Nereïde (zeenimf) Galathea, die door de eenogige cycloop Polyphemus werd begeerd. Op de *piano nobile* bevindt zich de 'zaal der perspectieven', beschilderd door Peruzzi. Het lijkt alsof zich in alle vier de wanden doorkijkjes bevinden op het omringende landschap – maar dat is slechts schijn.

Te gast in Rome

Een absolute must voor iedereen die in Rome verblijft is een bezoek aan een *gelateria*, zoals Giolitti, waar ontelbaar veel ijssoorten te koop zijn, of San Crispino, dat alle kunstmatige smaak- en conserveringsmiddelen vaarwel heeft gezegd en voor de onvervalste smaak van het ijs gaat– er wordt zelfs geen wafel bij geserveerd. Voor iedere smaak is er iets te vinden – en dat geldt ook voor de hotels, restaurants en winkels in Rome.

ALBERGO

Hotelclassificatie

Romeinse hotels en pensions worden met een waarderingssysteem van één (zeer eenvoudig) tot vijf sterren (luxueus) geclassificeerd. Daarboven bestaat nog een vijfsterren-de-luxecategorie voor het veeleisende publiek. Deze categorieën hebben echter alleen betrekking op de voorzieningen en zeggen niets over service, smaakvolle inrichting of ligging.

Een bed and breakfast, een vakantiewoning of een appartement is vaak goedkoper dan een hotel. De voorzieningen lopen sterk uiteen: van comfortabele kamers met bad, televisie en airconditioning tot spaarzaam ingerichte vertrekken met één badkamer per verdieping. Ook accommodatie in kerkelijke gebouwen is aanzienlijk goedkoper dan in 'gewone' hotels. Het nadeel is echter dat de deur al vaak omstreeks 22.30 uur wordt gesloten.

Prijzen en speciale tarieven

De in deze gids vermelde prijzen hebben betrekking op de officiële kamertarieven. Wie via een reisbureau of rechtstreeks via internet boekt is meestal flink goedkoper uit. Daarnaast zijn er goedkope weekendarrangementen en laagseizoenaanbiedingen, die meestal van november tot februari en in juli en augustus gelden. Ontbijt is meestal niet in de prijs inbegrepen. In de meeste hotels wordt tegenwoordig een ontbijt-buffet verzorgd, bestaande uit een cappuccino en een *cornetto*, maar het is goedkoper en gezelliger om bij een bar in de buurt te ontbijten.

Een hotel zoeken en reserveren

Algemene informatie over accommodatie is te vinden op de website van het Italiaans verkeersbureau (zie blz. 22): turismoroma.it (in het Engels en Duits); via de link 060608.it krijgt u inzage in een lijst met bijna 3000 accommodatie-adressen in Rome en omgeving.

Meer inlichtingen over B&B: **Bed & Breakfast Italia**, Corso Vittorio Emanuele II 282, tel. 06 687 86 18, bbitalia.it; **B&B Association of Rome**, Via A. Pacinotti 73/e, tel. 06 55 30 22 48, b-b.rm.it; **Bedroma**, bedroma.com, of **Sleep In Italy**, tel. 06 321 17 83, mobiel 33 86 82 50 32, sleepinitaly.com.

Uitvoerige beschrijvingen van accommodatie, met foto's en commentaar, zijn te vinden op **italyrents.com.** Het is de moeite waard om voor u boekt een kijkje te nemen op sites waar gasten hun mening geven over hotels, zoals **tripadvisor.nl.** Met uitzondering van de wintermaanden en augustus is reserveren het hele jaar aan te raden.

Speciale wensen

Veel kamers zijn met een tweepersoonsbed uitgerust; wie aparte bedden wil hebben, moet dit bij de reservering aangeven. Eenpersoonskamers *(camera singola)* zijn dikwijls erg klein en hebben niet zelden een ongunstige ligging, bijvoorbeeld vlak aan een drukke straat.

Prettig en betaalbaar

Gezellig – **Artorius**: ■ kaart 2, G 5, Via del Boschetto 13, tel. 06 482 11 96, hotelartoriusrome.com, bus: 64, 1 pk vanaf € 95, 2 pk vanaf € 120 incl. ontbijt. In een paar jaar tijd heeft dit hotelletje in de schilderachtige wijk Monti een vaste klantenkring opgebouwd. En dat is geen wonder: de kamers zijn bijzonder netjes, het ontbijt wordt in de openlucht geserveerd, het hotel heeft een schaduwrijke binnenplaats en er heerst een gezellige sfeer. Vooral de kamers 108 (met terras) en 103 zijn aan te bevelen.

Ontspannen – **Casa della Palma**: ■ L 5, Via dei Sabelli 98, tel. 06 445 42 64, casadellapalma.com, tram: 3, 1 pk € 50-70, 2 pk € 60-80. Dit hotelletje ligt aan een mooie, rustige binnenplaats midden in de levendige studentenwijk San Lorenzo. De ruime kamers zijn alle verschillend ingericht, en sommige beschikken zelfs over een marmeren bad. Met airconditioning en internetfaciliteiten.

Overnachten in een klooster – **Casa S. Francesca Romana a Ponte Rotto**: ■ E 7, Via dei Vascellari 61, tel. 06 581 21 25, sfromana.it, bus: H, 23, 170, 1 pk € 85, 2 pk € 123 incl. ontbijt. Dit door leken beheerde hotel met 40 kamers bevindt zich in het hart van Trastevere. Het personeel is heel vriendelijk. De kamers zijn weliswaar eenvoudig, maar de ligging is zonder meer fantastisch. De grote, beplante binnenplaats is iets bijzonders.

Voor jongeren – **Colors Hotel & Hostel**: ■ C 3, Via Boezio 31, tel. 06 687 40 30, colorshotel.com, metro: Ottaviano (A), bus: 23, 34, 49, 492, 990, 1 pk € 40-70, 2 pk € 65-95 (met badkamer en inclusief ontbijt). Origineel en kleurrijk palazzo bij het Vaticaan, met eenvoudige kamers en slaapzalen. De veelal jonge bezoekers ontmoeten elkaar in de goed uitgeruste gemeenschappelijke keuken of roken een sigaretje op het terras. Internetfaciliteiten en een uitgebreid ontbijt.

Vriendelijk en gastvrij – **Cromata Rooms**: ■ J 5, Via Carioli 84, tel. 06 77 07 33 64, cromatarooms.com, metro: Vittorio Emanuele (A), 1 pk € 39-125, 2 pk € 50-138. Gezellige, in vrolijke kleuren geschilderde kamers met een schone badkamer, gelegen in de enigszins sjofele Chinese wijk achter het station. De eigenaar staat zijn gasten met raad en daad terzijde. Hier voelt men zich echt thuis. Gratis internet, airconditioning. In een nabijgelegen restaurant wordt het ontbijt geserveerd.

Alleen voor vrouwen – **Foresteria Orsa Maggiore**: ■ kaart 2, C 5, Casa Internazionale delle Donne, Via San Francesco di Sales 1a, tel. 066 89 37 53, casainternazionaledelledonne.org, bus: 23, 115, 1 pk € 52-75, 2 pk € 72-110, bed in een kamer met zes bedden € 26. Het internationale vrouwenhotel is gevestigd in een voormalig klooster midden in Trastevere. Schone, lichte kamers met een moderne inrichting. Het hotel beschikt over een restaurant, café, bibliotheek en een mooie binnenplaats.

Middenklasse – **Hotel Romano**: ■ kaart 2, G 6, Largo Corrado Ricci 32, tel. 066 79 58 51, hotelromano.com, metro: Colosseo (B), bus: 75, 84, 1 pk € 50-90, 2 pk € 80-140. Een hotel met eenvoudige, schone kamers in het hart van het oude Rome. Alle kamers zijn voorzien van een tegelvloer, geluiddichte ramen en airconditioning. De kamers 424 en 425 hebben een balkonnetje met een mooi uitzicht op de Fori Imperiali

– evenals op de bijzonder drukke Via Cavour. Het bescheiden ontbijt wordt in de bar ernaast geserveerd.

Vlak bij de paus – Istituto Maria SS. Bambina:  B 4, Via Paolo VI. 21, tel. 06 69 89 35 11, imbspietro@mariabambina.va, bus: 64, 1 pk € 55, 2 pk € 99 (incl. ontbijt). De bijzonder schone kamers bevinden zich vlak bij het Sint-Pietersplein. Vroegtijdig reserveren is beslist aan te bevelen! Om 23 uur gaat de deur op slot.

Een klein pensionnetje – Pantheon View: kaart 2, E 4, Via del Seminario 87, tel. 06 99 02 94, pantheonview.it, bus: 116, 1 pk € 85-100, 2 pk € 110-140. In een rustige zijstraat in de buurt van het Pantheon. Alle vier met stijlmeubels ingerichte kamers beschikken over een marmeren bad, drie kamers hebben een eigen balkon.

Een 17e-eeuws paleis – Parlamento: kaart 2, E 4, Via delle Convertite 5, tel. 06 679 20 82, 06 69 94 16 97, hotel parlamento.it, metro: Spagna (A), 1 pk € 80-130, 2 pk € 90-195. Een hotel

met 23 kamers in een 17e-eeuws *palazzo*, gelegen tussen het Pantheon en de Spaanse Trappen. Enkele van de smaakvol ingerichte kamers beschikken over een bubbelbad. De mooiste kamers bieden rechtstreeks toegang tot het dakterras, waar in de zomer het ontbijt wordt geserveerd. Het personeel is uiterst behulpzaam. De prijs is inclusief ontbijt.

Voor wie het weet te vinden – San Michele a Porta Pia: J 2, Via Messina 15, tel. 06 44 25 05 96, bbsanmichele.com, metro: Castro Pretorio (B), 1 pk € 55-75, 2 pk € 85-120. Smaakvol ingerichte kamers op de vijfde verdieping van een *palazzo*, op een steenworp afstand van Stazione Termini. Uitgebreid ontbijt.

Stijlvol

Speels – Celio: H 6, Via dei SS. Quattro Coronati 35, tel. 06 70 49 53 33, hotelcelio.com, metro: S. Giovanni (A), bus: 85, 117, 850, 1 pk € 100-190, 2 pk € 120-230 (incl. ontbijt). Intiem hotel met 20 kamers in een rustige zijstraat

Het enorme zwembad van hotel Radisson SAS

bij het Colosseum. Mozaïek op de vloer en reproducties van renaissancefresco's en barokschilderijen aan de muur. Het ontbijt wordt geserveerd op de kamer of het terras. Met een fitnessruimte en Turks bad.

Rustig gelegen – Kolbe: ■ kaart 2, F 6, Via San Teodoro 44, tel. 06 69 92 42 50, kolbehotelrome.com, bus: 170, 1 pk € 160-260, 2 pk € 230-350 (incl. ontbijt). Wilt u bij vogelgezang en met uitzicht op palmen ontwaken of met uitzicht op de Palatinoheuvel? In dit pas enkele jaren bestaande designhotel kan het allebei. Dit van buiten onopvallende, bijzonder rustige hotel beschikt over ruime, met strakke lijnen ontworpen kamers en een tuin waar men heerlijk kan ontbijten.

Ruim en aantrekkelijk – Locarno: ■ E 2, Via della Penna 22, tel. 06 361 08 41, hotellocarno.com, metro: Flaminio (A), 1 pk € 130-250, 2 pk € 200-450 (incl. ontbijt). Dit in 1925 gebouwde jugendstilhotel staat op een steenworp afstand van de Piazza del Popolo en biedt 66 ruime, stijlvol ingerichte kamers. Vraag naar een kamer in de nieuwe vleugel. In de zomer kunt u in de tuin of op het prachtige dakterras ontbijten. Fietsverhuur (alleen voor gasten) en gratis internet.

Stijlvol – Radisson SAS Hotel: ■ J 5, Via F. Turati 171, tel. 06 44 48 41, http://rome.radissonsas.com, metro: Termini (A/B), bus: 70, 71, 105, 1 en 2 pk € 160-260. Luxueus hotel met lichte, minimalistisch ingerichte kamers in het hart van de wijk Esquilino, vlak bij het station. U kunt gebruik maken van een fitnesscentrum, kuurfaciliteiten en een groot zwembad met uitzicht over de stad. Alle kamers beschikken over een slaapeiland en een thuisbioscoop met plasmascherm. Lekkerbekken kunnen

terecht in de twee uitstekende restaurants, waar zowel klassieke als experimentele fusiongerechten worden geserveerd.

Bij heilige grond – Residenza Paolo VI: ■ B 4, Via Paolo VI 29, tel. 06 68 13 41 08, residenzapaolovi.com, bus: 40, 64, 1 pk € 165-235, 2 pk € 230-295 (incl. ontbijt). Overnachten vlak bij de paus! Dit voormalige augustijnenklooster, waarvan de 29 monniksverblijven tot moderne hotelkamers zijn omgetoverd, ligt al tegenover de werkkamer van de paus. Zowel voor groepen als voor individuele reizigers wordt een op het Vaticaan toegesneden programma aangeboden – onder meer een privérondleiding door de Vaticaanse musea. Vanaf het dakterras kunt u genieten van een schitterend uitzicht op het Sint-Pietersplein.

Idyllisch – Santa Maria: ■ kaart 2, D 6, Vicolo del Piede 2, tel. 06 589 46 26, htl santamaria.com, bus: H, 63, 780, tram: 8, 1 pk € 100-190, 2 pk € 120-230 (incl. ontbijt). De met veel zorg ingerichte kamers van dit idyllische, rustige hotel in het hart van Trastevere bevinden zich op de begane grond van een voormalige 18e-eeuwse kruisgang. Tevens een grote binnenplaats en een bar. Ideaal voor kinderen.

Romantisch – Scalinata di Spagna: ■ F 3, Piazza Trinità dei Monti 17, tel. 06 69 94 08 96, hotelscalinata.com, metro: Spagna (A), 1 pk € 130-170, 2 pk € 170-220 (incl. ontbijt), 10% korting vanaf drie overnachtingen of bij contant betalen. Klein hotel op een prachtige locatie boven de Spaanse Trappen. De kamers met balkon zijn vaak lang van tevoren gereserveerd. Het ontbijt wordt geserveerd op een prettig terras met een mooi uitzicht. Er zijn fietsen te huur.

Eten en drinken

Cucina romana

De *cucina romana* blinkt niet uit door raffinement, maar wordt over het algemeen gekenmerkt door traditionele, stevige gerechten, waarbij grote waarde wordt gehecht aan verse ingrediënten. De prima Castelli-wijnen (Frascati, Colli Albani, Velletri) smaken er bijzonder goed bij. Andere regionale kooktradities – van Toscaans tot Siciliaans – zijn in Rome goed vertegenwoordigd, en ook de talloze immigranten hebben de Romeinse gastronomische wereld verrijkt. Romeinen praten graag over eten en eten dikwijls buiten de deur, het liefst *all'aperto* – onder de blote hemel – en met veel vrienden.

De culinaire dagindeling

Anders dan in West-Europa is het ontbijt in Italië slechts bijzaak – meestal wordt het op weg naar het werk snel even naar binnen gewerkt. Doorgaans volstaat een espresso (vaak simpelweg *caffè* genoemd) of een cappuccino met een *brioche* of een *cornetto* (croissant).

Tijdens de *pranzo* (lunch) van 12.30 tot 14.30 uur wordt uitgebreid gegeten en het *cena* (diner) wordt over het algemeen met het hele gezin genuttigd. 's Avonds eet men niet voor 20 uur, meestal zelfs pas tegen 21 uur en in de zomer zelfs nog later.

De kleine trek wordt gestild met een *pizzetta*, een *panino* (belegd broodje) of *tramezzino* (driehoekige sandwich). Ook in Rome willen steeds meer werknemers 's middags iets uitgebreider

eten – tal van trattoria's komen met goedkope lunchschotels aan deze vraag tegemoet.

Verder zijn er veel enotheken in Rome te vinden, die naast uitstekende wijnen kleine warme gerechten of kaas- en hamspecialiteiten aanbieden.

Vier gangen

Een traditionele Italiaanse maaltijd bestaat meestal uit vier gangen: de *antipasti* (voorgerechten) zijn rauwe, gefrituurde of gemarineerde groente- of vleeshapjes. Als *primo* (eerste gang) worden pasta- en rijstschotels of een stevige minestrone (groentesoep) geserveerd. De *secondo* (tweede gang) bestaat uit vis of vlees met een *contorno* (bijgerecht), dat apart moet worden besteld. Ter afsluiting van de maaltijd kan men kiezen uit *formaggio* (kaas), *frutta* (fruit) of een *dolce* (nagerecht).

Een goedkoop alternatief voor meergangendiners biedt de pizzeria, die vaak onder één dak met een restaurant is gevestigd en pas 's avonds haar deuren opent. Vooral *pizze* uit een met hout gestookte oven smaken uitstekend. U kunt deze *alla romana* (met dunne bodem) of *alla napoletana* (met dikke bodem) bestellen. Bij een pizza wordt in Italië over het algemeen bier in plaats van wijn gedronken.

In het restaurant

Bij een bezoek aan een restaurant is het niet de bedoeling dat gasten zelf een tafeltje uitzoeken – men dient te wachten tot de ober een tafeltje toewijst. Ook is het niet gebruikelijk om alleen maar antipasti of een salade te eten of na de maaltijd nog een fles wijn te bestellen en urenlang te blijven zitten. Als u tevreden was over de geboden service kunt u een fooi op tafel laten liggen.

Openingstijden en prijzen

Bij een groot aantal in deze gids aanbevolen etablissementen is het raadzaam telefonisch te reserveren, vooral als u in de avonduren nog een tafeltje wilt bemachtigen. Veel restaurants hebben in de avond en vooral in de weekends vaste tijden waarop de maaltijden worden geserveerd, de zogenaamde *turni*, bijv. 20-21.30 uur of 21 / 21.30-23 uur. Restaurants zijn vaak op zondag of maandagavond gesloten en veel gelegenheden zijn de hele maand augustus dicht.

Het prijsniveau in restaurants is vergelijkbaar met dat in Nederland en België. Bijna alle gelegenheden, ook de zeer goede, bieden naar verhouding goedkope middagschotels.

Restaurantwijken

De grootste concentraties restaurants zijn te vinden in het gehele *centro storico*, met name rond het Pantheon, de Piazza Navona en de Campo de' Fiori, evenals in Trastevere, rond de Piazza Santa Maria, en in San Lorenzo. In deze wijken kunt u eenvoudig rondlopen en beslissen wat u aantrekkelijk lijkt.

Na het eten

In een *enoteche*, ook *vinerie* of *wine bar* genoemd, kunt u op uw gemak van een goed glas wijn genieten. Een uitstekende afsluiting van een avondje uit eten is een bezoek aan een *gelateria* (ijssalon).

Cafés en ijssalons

Een mythe – **Antico Caffè Greco:** E/F 3, zie blz. 46.

Bistro voor een hapje tussendoor – **Cafè Cafè:** G 6, zie blz. 44.

Niet weg te denken uit Rome – **Caffè SantaEustachio:** kaart 2, E 5, zie blz. 63.

Een oase van rust – **Caffetteria del Chiostro del Bramante:** kaart 2, D 4, Via della Pace, chiostrodelbramante.it, bus: 40, 46, 62, 64, 80, dag. di.-za. 10-20, za. tot 23.30 uur. Het knusse museumcafé in de Chiostro del Bramante is een oase van rust in de bruisende wijk rond de Piazza Navona. 's Zondags kunt u hier tot 16 uur terecht voor de brunch (€ 20).

IJsliefhebbers opgelet – **Fassi:** J 6, Via Principe Eugenio 67, palazzodel freddo.it, metro: Vittorio Emanuele (A), di.-zo. 12-24 uur. Het 'Palazzo del Freddo' kan bogen op een lange traditie. De sfeer doet er denken aan de hal van een oud station. Dit is een van de oudste ijssalons van de stad. Dagelijks zijn hier verse ijssoorten en Italiaanse ijsspecialiteiten te vinden

Een enorme keuze – **Giolitti:** kaart 2, E 4, Via Uffici del Vicario 37-41, giolitti.it, bus: 119, dag. 7-24 uur. Hier kunt u terecht voor het beste ijs van de stad.

Stijlvol – **Museo Atelier Canova Tadolini:** E 3, zie blz. 47.

Nostalgisch – **Rosati:** E 2, Piazza del Popolo 5, rosatibar.it, metro: Flaminio (A), dag. 7.30-23.30 uur. Chic café op een prachtige locatie. Hier kunt u terecht voor een groot assortiment snacks, ijs en gebak.

Eten en drinken

Zonder toevoegingen – San Crispino:  kaart 2, F 4, Via della Panetteria 42, Piazza della Maddalena 3, ilgelatodi sancrispino.it, bus: 52, 53, 61, 63, 95, 116, 119, 175, zo., ma., wo., do. 12-0.30, vr. en za. tot 1.30 uur. Bij het ijs van deze salon hoeft u niet bang te zijn voor conserveringsmiddelen of kleurstoffen. Om een optimale temperatuur te garanderen, wordt het ijs bewaard in stalen vaten met een deksel – voor het oog niet erg aantrekkelijk, maar de smaak maakt dat meer dan goed.

Voor koffieliefhebbers – Tazza d'Oro: kaart 2, E 4, zie blz. 63.

Enotheken en wijnbars

Als de wijn is in de kan... – Al Bric kaart 2, D 5, Via del Pellegrino 51-57, tel. 06 687 95 33, albric.it, bus: 64, 40, di.-zo. 19.30-23.30, zo. ook 's middags, menu € 47. In deze *enoteca,* waar de wanden zijn versierd met de deksels van wijnkisten, draait alles om wijn. Behalve voor uitgelezen wijnen kunt u in deze gelegenheid bovendien terecht voor prima

gerechten. Ook de keuze aan Italiaanse en Franse kaassoorten is bijzonder groot.

Gezellig – Al vino al vino: kaart 2, G 5, Via dei Serpenti 19, tel. 06 48 58 03, bus: 75, 84, 117, dag. 11-13.30, 17-1 uur. Een eenvoudige *enoteca* met een enorm grote keuze aan wijnen. Ook worden er heerlijke lichte maaltijden geserveerd, zoals *parmigiana di melanzane* en *caponata,* en komen liefhebbers van kaas hier aan hun trekken. Ideaal voor een gezellige avond met vrienden.

Een sfeervolle gelegenheid – Enoteca Buccone: E 3, Via di Ripetta 9, tel. 06 361 21 54, enotecabuccone.com, metro: Flaminio (A), bus 117, 119, ma.-do. 9-20.30, vr. en za. tot 23.30 uur. In een voormalige koetsenstalling worden wijnen en likeuren uit heel Italië verkocht. Daarnaast zijn er ham, kaas en groenten te koop.

Meer dan duizend wijnen – Enoteca Cavour 313: kaart 2, G 5, zie blz. 41.

Giolitti, de bekendste ijssalon van Rome

Een topkok – **Palatium Enoteca Regionale:** ▦ kaart 2, E 3, Via Frattina 94, tel. 06 69 20 21 32, enotecapalatium.it, metro: Spagna (A), winkel: ma.-za. 11-23, *enoteca* ma.-za. 12.30-15.30, 20-22.30 uur, € 10 / € 35-40. In een voorname ambiance worden wijnen en specialiteiten uit Latium geserveerd. De kok, Severino Gaiezza, bereidt zijn uitmuntende gerechten volgens oude recepten. Iets heel bijzonders zijn de auberginerollade met *ricotta romana* en de met veel vakmanschap bereide visschotels met vis uit het meer van Bolsena.

Prima voor een aperitiefje – **Société Lutece:** ▦ kaart 2, D 4, Piazza di Montevecchio 17, tel. 06 68 30 14 72, societelutece.it, bus: 40, 46, 62, dag. vanaf 19 uur. Goede cocktails, met name *mojitos,* en een goedgesorteerd buffet in een ambiance die aan een Parijse bistro doet denken. Bijzonder populair onder studenten. Ook tafeltjes in de openlucht.

Goed en goedkoop

Lekkere hapjes – **Ai Marmi:** ▦ D 7, zie blz. 37.

Creatieve keuken – **Asinocotto:** ▦ E 7, zie blz. 35.

Voor visliefhebbers – **Benito e Gilberto al Falco:** ▦ B 3, zie blz. 65.

Iets heel aparts – **Dar Filettaro a Santa Barbara:** ▦ kaart 2, D 5, Largo dei Librari 88, tel. 06 686 40 18, bus: 64, tram: 8, ma.-za. 17.30-22.30 uur, vanaf € 5. Een oer-Romeins etablissement, waar alles draait om de *baccalà* – knapperig gefritueerde stokvisfilet. Ook de *puntarelle* (witlof) met knoflook en anjovis is erg lekker, evenals de bonenschotels.

Authentiek – **Er Buchetto:** ▦ H 4, Via del Viminale 2 F, tel. 06 488 30 31, metro: Termini (A/B), ma.-vr. 8.30-21, za. 8.30-14.30 uur, vanaf € 5. Piepkleine gelegenheid met slechts een handvol tafeltjes, waar u kunt genieten van authentieke *porchetta,* kaas en prima wijn van het huis. Dit etablissement zou zo als filmdecor kunnen dienen.

Viva la pasta! – **L'Archetto:** ▦ kaart 2, F 4, Via dell'Archetto 26, tel. 06 678 90 64, bus: 62, 63, 85, 95, 117, 119, dag. 12-15, 19-1 uur, pasta of pizza € 6-10. Pastaliefhebbers opgelet: pasta's in 130 variaties, op di. en vr. met verse vis. Voor Romeinse begrippen zijn de porties behoorlijk groot. Ook tafeltjes aan de rustige straat.

Goed en goedkoop – **Osteria Da Giovanni:** ▦ kaart 2, C 5, Via della Lungara 41 a, tel. 06 686 15 14, bus: 23, 116, 280, ma.-za. 12-15, 19.30-22 uur, € 16. Dit is een populaire *osteria* op slechts enkele passen van de gevangenis van Rome. Eenvoudige schotels, een interieur zonder poespas en een uitstekende prijs-kwaliteitverhouding.

Gezellig – **Pasqualino:** ▦ G/H 6, zie blz. 44.

Pizzeria's

Uit de houtoven – **Bir & Fud:** ▦ kaart 2, D 6, Via Benedetta 23, tel. 06 589 40 16, birefud.it, tram: 8, bus: H, 23, dag. 19.30-24, vr. en za. tot 2 uur, vanaf € 8. Kleine gelegenheid met een bierbar en houten tafels, waar niet alleen heerlijke knapperige pizza's worden geserveerd, maar ook *supplì* en *calzoni.*

Populair – **Da Baffetto:** ▦ kaart 2, D 5, Via del Governo Vecchio 114, tel. 06 686 16 17, bus: 40, 64, dag. 20-24 uur, € 16. Wie niet lang wil wachten, moet vroeg

De Bir & Fud in Trastevere – de pizza's uit de houtoven zijn overheerlijk

komen. Geliefd bij zowel toeristen als Romeinen. Een sober ingerichte pizzeria met onovertroffen Romeinse, dat wil zeggen dunne, *pizze*.

Trendy

Onderwets – Babette:  E 3, Via Margutta 1, tel. 06 321 15 59, babetteristorante.it, metro: Spagna / Flaminio (A), bus: 117, dag. 9-23 uur, € 40. In deze trendy gelegenheid waant men zich op een filmset. Muren in warme, zachtgele tinten, houten tafeltjes, twee schitterende binnenplaatsen en een menukaart met klassieke *antipasti*, Romeinse pastagerechten, salades en pizza's. Ook ideaal om te ontbijten.

Oostenrijkse keuken – Cantina Tirolese: C 3, zie blz. 65.

Trendy, maar toch goedkoop – 'Gusto: E 3, Piazza Augusto Imperatore 9, tel. 06 322 62 73, gusto.it, metro: Spagna / Flaminio (A), bus 81, 117, 119, dag. 12.30-15, 19.30-24 uur, pizzeria € 18, restaurant € 45. U wilt met uitzicht op

keizerlijke ruïnes en moderne architectuur van een creatieve keuken genieten of gewoon een pizza eten? U bent geïnteresseerd in keukendesign en kookboeken? Dan bent u bij 'Gusto aan het juiste adres.

De geheel in het zwart ingerichte cocktailbar **Gusto al 28** aan het plein maakt ook deel uit van het Gusto-imperium (dag. 18.30-24 uur, aperitief incl. buffet € 10), evenals de **Osteria della Frezza** in de evenwijdig lopende straat Via della Frezza 16 (tel. 06 322 62 73, openingstijden als 'Gusto, circa € 15), waar u in een traditionele *osteria*sfeer kunt genieten van goede wijnen en eenvoudige gerechten. Voor de prijs hoeft u het niet te laten.

Modieus – Necci dal 1924: buiten M 7, Via Fanfulla da Lodi 68, tel. 06 97 60 15 52, necci1924.com, tram: 5, 14, dag. 8.30-1 uur, € 25-30. Een hip trefpunt in de trendy wijk Pigneto, waar het menu op de achterkant van een fotoroman is gedrukt en chef-kok Be elke week een van zijn lievelingsrecepten op de website plaatst. Tijdens de opnames van zijn film *Accattone* kwam regisseur Pasolini hier dikwijls eten. U kunt ook terecht aan tafeltjes in de openlucht.

Stijlvol – **ReD:** ▨ E 1, zie blz. 70.

En vogue – **Said dal 1923:** ▨ K 4, Via Tiburtina 135, tel. 06 446 92 04, said.it, metro: Tiburtina (B), ma.-za. 10-22, 19-22 uur, buffet € 10, à la carte € 30. Een sprookjesachtige locatie in een met veel zorg gerenoveerde chocoladefabriek, waar men overdag van chocolade bonbons, *torroni* en andere lekkernijen worden gemaakt. In de avonduren een aperitiefbar en restaurant. De kok heeft een voorkeur voor zoetzure gerechten, waar uiteraard dikwijls chocolade in is verwerkt.

Voor de echte genieters – **Vineria Roscioli:** ▨ kaart 2, E 5, Via dei Giubbonari 21, salumeriaroscioli.com, tel. 06 687 52 87, bus: 40, 64, ma.-za. 12.30-16, 20-24, in het weekend tot 2 uur (aperitiefs vanaf 18 uur), € 50. Eigenlijk runnen de broers Roscioli allebei een andere zaak – de een een delicatessenwinkel, de ander een bakkerij (Via dei Chiavari 34). In een hoek van de *salumeria* schenken ze uitstekende wijnen en worden innovatieve lekkernijen geserveerd. De *carbonara* zijn legendarisch.

Toprestaurants

Voortreffelijk – **Il Convivio Troiani:** ▨ kaart 2, D 4, Vicolo dei Soldati 31, tel. 06 686 94 32, ilconviviotroiani.com, metro: Spagna (A), bus: 40, 64, ma.-za. 20-23 uur, fijnproeversmenu € 80 en € 98. In deze kleine, chique gelegenheid in de buurt van het Pantheon koken de gebroeders Troiani al vele jaren op het hoogste niveau. Uitgebreide wijnkaart, perfecte bediening.

Primus inter pares – **La Pergola:** ▨ ten westen van C 1, Hotel Hilton, Via Cadlolo 101, tel. 06 35 09 21 52, romecavalieri.it, bus: 907, 913, 991, di.-za. 19.30-22.30 uur, menu € 175-200. Het restaurant van het Hiltonhotel staat al jaren te boek als het beste van de stad. Wie de menukaart bestudeert, komt voor een aantal lastige keuzes te staan. Een van de fantasierijke creaties van de Duitse chef-kok Heinz Beck is kreeft met auberginemousse. Vanaf het dakterras hebt u een adembenemend uitzicht over Rome. Nette kleding is verplicht.

De beste visschotels – **La Rosetta:** ▨ kaart 2, E 4, Via della Rosetta 9, tel. 06 686 10 02, larosetta.com, bus: 116, ma.-za. 12.30-15, 19.30-23, 19.30-23 uur, menu 's middags € 39, 's avonds € 95. Onder inwoners van Rome staat dit restaurant, dat gerund wordt door een familie, bekend om zijn heerlijke vis en zeebanket. De verse vis en schaaldieren bij de ingang beloven veel goeds. In de zomermaanden staan er ook tafeltjes buiten.

Voor oesterliefhebbers – **Riccioli Café:** ▨ kaart 2, E 4, Piazza delle Coppelle 10a, tel. 06 68 21 03 13, ricciolicafe.com, bus : 40, ma.-za. 9-1 uur, vanaf € 20. De eigenaar van La Rosetta (zie boven) beheert ook dit trendy restaurant met loungebar. De oesters en verfijnde sushi zijn iets bijzonders.

Typisch Rome

Romeins-Joodse specialiteiten – **Al Pompiere:** ▨ kaart 2, E 6, Via Santa Maria de' Calderari 38, tel. 06 686 83 77, alpompiereroma.com, bus: 23, 63, 280, ma.-za. 12-15, 19-23 uur, € 31. Vroeger zwaaide oma Maria hier de scepter. Haar man moest haar gerechten altijd met wijn blussen (*pompiere* betekent brandweerman). De traditionele keuken met Romeins-Joodse specialiteiten is echter gebleven. Het restaurant is gevestigd in een oud *palazzo* in het hart van de Joodse wijk. Uitstekende *fritti*, courgettebloemen en artisjokken (*carciofi alla giudia*).

Gezellig – **Bucatino:** ▨ kaart 1a, zie blz. 61.

Authentiek – **Checchino dal 1887:** ▨ kaart 1a, Via Monte Testaccio 30, tel. 06 574 38 16, checchino-dal-1887. com, bus: 75, metro: Piramide (B), di.za. 12.30-15, 20-24 uur, menu vanaf € 45. Laat u vooral niet afschrikken door de enigszins ouderwetse sfeer – in Checchino dal 1887 worden authentieke Romeinse gerechten van het hoogste niveau geserveerd, die bovendien worden besproeid met eersteklas wijnen. Overigens is in dit restaurant, dat tegenover het voormalige abattoir staat, de *coda alla vaccinara* 'uitgevonden'. In de zomer staan er ook tafeltjes buiten. Gepaste kleding wordt op prijs gesteld.

Een traditie wordt hooggehouden – **Da Felice:** ▨ kaart 1a, zie blz. 61.

De echte Romeinse keuken – **Dal Cavalier Gino:** ▨ kaart 2, E 4, Vicolo Rosini 4 / Piazza del Parlamento, tel. 06 687 34 34, bus: 175 of metro: Barberini (A), dan bus 116, ma.-za. Zowel 's middags als 's avonds twee rondes (*turni*): 13 en 14.30, 20 en 21.30 uur, € 22. In de middagpauze is dit een ontmoetingsplaats van politici uit het nabijgelegen parlement en wordt de vergadering hier tijdens een uitgebreide maaltijd dikwijls gewoon voortgezet. Traditionele Romeinse gerechten, zoals *tonnarelli alla ciociara* (pasta met spek, paddenstoelen en erwten) en *gnocchi* (alleen op do.), met als bijgerechten

puntarelle en artisjokken die haast op de tong smelten.

Goede, traditionele keuken – **Ditirambo:** ▨ kaart 2, D 5, zie blz. 32.

Typisch Romeins – **Enoteca Corsi:** ▨ kaart 2, E 5, Via del Gesù 88, tel. 06 679 08 21, enotecacorsi.com, bus: 64, 40, 62, 70, 81, H, ma.-za. 12-15 uur € 25. Tussen de middag stroomt dit sobere etablissement vol met personeel van de naburige kantoren. Stevige, typisch Romeinse keuken met dagelijks wisselende kaart: op donderdag eet u hier op de met papier gedekte tafeltjes bijvoorbeeld *gnocchi* en op vrijdag *baccalà*.

Charmant – **Fiaschetteria Beltramme:** ▨ E 3, Via della Croce 39, metro: Spagna (A), bus: 52, 53, 61, 62, 116, 119, ma.-za. 12-15, 20-23 uur, vanaf € 20. Dit is een kleine *osteria* waar veel stamgasten uit de modewijk van Rome komen eten. De specialiteiten zijn *tonnarelli cacio e pepe* en rucola-salade met pachino-tomaten en Parmezaanse kaas. Reserveren is helaas niet mogelijk – tenzij u Madonna heet, die hier ooit eens een etentje heeft gegeven.

De 'uitvinder' van de *carciofi alla giudía* – **Giggetto al Portico d'Ottavia:** ▨ kaart 2, E 6, Via Portico d'Ottavia 21a, tel. 06 686 11 05, giggetto.it, bus 23, 63, 280, di.-zo. 12.30-15, 19.30-23 uur € 31. Een sfeervolle trattoria met authentieke gerechten uit de Romeinse en Joodse keuken, zoals *fritto misto alla romana, baccalà* of courgettebloemen. In de zomer hebt u vanaf het terras uitzicht op de ruïnes van de Portico di Ottavia.

Gezellig – **Hostaria Farnese:** ▨ kaart 2, D 5, Via dei Baullari 109, tel. 06 68 80 15 95, bus: 64, vr.-wo. 12-15, 19-2▯

uur, € 30. Klein familierestaurantje met de sfeer en charme van een trattoria uit de jaren zestig van de vorige eeuw. Laat u door de in beigekleurige kelnerjasjes gestoken vader en zoon adviseren. Goede vis- en groentegerechten; tevens pizzeria.

Eten bij moeder de vrouw – **La Carbonara:** ▓ G 5, Via Panisperna 214. tel. 06 482 51 76, lacarbonara.it, bus: 117, metro: Cavour (B), ma.-za. 12.30-14.30, 17-23 uur, € 30. Het begon als ooit mee dat de vrouw van een kolenbrander *(carbonaio)* een establissement opende... en vandaag de dag toveren Donna Teresa en haar familie nog altijd de beste Romeinse gerechten op tafel. Tot de specialiteiten behoren – hoe kan het ook anders – pasta *alla carbonara*, evenals *all'amatriciana* en *alla gricia* (met spek, *pecorino* en peper).

Gastvrij – **Maccheroni:** ▓ kaart 2, E 4, Piazza delle Coppelle 44, tel. 06 68 30 78 95, ristorantemaccheroni.com, bus: 116, € 25. Dit al tientallen jaren bestaande establissement biedt nog steeds een prima combinatie van traditionele en hedendaagse gerechten. Met name de klassieke pastaschotels zijn iets bijzonders.

Goede Romeinse keuken – **Osteria Priscilla:** ▓ kaart 4, zie blz. 68.

Een eerbiedwaardige gelegenheid – **Pancrazio dal 1922:** ▓ kaart 2, D 5, zie blz. 34.

Populair – **Sora Margherita:** ▓ kaart 2, E 6, Piazza delle cinque Scole 30, tel. 06 687 42 16, bus: H, di.-zo. 12.30-15, vr. en za. ook 20-21.30 of 21.30-23.30 uur, € 20. Stevige Romeinse kost, geserveerd op eenvoudige, met papier gedekte houten tafels. Eigengemaakte pasta's, gefritueerde artisjokken en wijnen van het

vat. De ingang van dit establissement is zelfs niet met een klein bordje aangegeven. Wie hier wil eten moet lid worden; wie hier eenmaal geweest is, komt zeker terug. Reserveren is absoluut noodzakelijk!

De oud-Romeinse keuken – **Spirito DiVino:** ▓ E 7, zie blz. 37.

Dicht bij het Colosseum – **Trattoria Valentino:** ▓ kaart 2, G 5, zie blz. 41.

Vegetarisch en biologisch

Honderd procent biologisch – **Biogusto:** ▓ buiten A 1, Via Trionfale 9516, tel. 06 83 76 13 70, biogusto.net, trein FR3: San Filippo Neri, di.-zo. 18-23 uur. zo. ook 's middags, vanaf € 10. Voor de heerlijke en creatieve gerechten van Biogusto worden alleen biologische ingrediënten gebruikt. Iets bijzonders is de zwaardvis in zucchini of fusilli met spek, paddenstoelen en pachino-tomaten. In de zomermaanden kunnen de gasten ook buiten zitten. Voor de kinderen is er een speciaal kindermenu.

Altijd goed – **Margutta RistorArte:** ▓ E 3, Via Margutta 118, tel. 06 32 65 05 77, ilmargutta.it, metro: Spagna / Flaminio (A), bus: 117, 119, dag. 12.30-15.30, 19.30-23.30 uur, menu 's middags 12-18 (zon- en feestdagen € 25), 's avonds vanaf € 30. Het oudste vegetarische restaurant van Rome, dat al meer dan twintig jaar bestaat, serveert gerafiineerde gerechten. Er worden dikwijls exposities van jonge schilders en beeldhouwers georganiseerd. Op zondag kunt u hier terecht voor de brunch en soms is er livemuziek.

De eerste mozzarella-bar van Rome – **Obikà:** ▓ kaart 2, D 5, zie blz. 32.

Winkelparadijs Rome

In de Eeuwige Stad kunt u heerlijk shoppen – culinaire artikelen, woondesign, schoenen en vooral mode en antiek zijn export- en verkooptoppers. Karakteristiek voor Rome zijn de vele kleine winkeltjes. In de binnenstad vindt u maar een handvol grote winkels en warenhuizen. Winkelcentra zijn in de wijken buiten de stadsmuren gevestigd. Ook aan te bevelen zijn de kleine levensmiddelenmarkten, die in iedere wijk te vinden zijn en waar soms ook kleding of huishoudelijke artikelen te koop zijn.

Mode en accessoires

Rome is, samen met Milaan, een toonaangevende stad op het gebied van de Alta Moda. U moet beslist even etalages gaan kijken in het gebied rond de Spaanse Trappen. Het is echter aan te bevelen om met de koop van de vaak schrikbarend dure designartikelen te wachten tot de *saldi* (uitverkoop) in januari / februari en juli / augustus, of even rond te kijken in een van de outletzaken. In de Via Cola di Rienzo en de Via Ottaviano, beide in de buurt van het Vaticaan, zijn veel boetieks, schoenwinkels en voortreffelijke kookwinkels gevestigd. Betaalbare mode vindt u in de Via del Corso in de buurt van de Spaanse Trappen, in de Via de' Giubbonari bij de Campo de' Fiori of in de Via Nazionale, de verbindingsstraat tussen de Piazza della Repubblica en de Piazza Venezia, waar bovendien veel schoenen- en lederwarenzaken zijn gevestigd. Hier zijn ook veel goedkope winkels. In de steegjes van Trastevere vindt u veel creatieve en bijzondere zaakjes. Het beste adres voor aparte tweedehandsspullen en mode is de Via del Governo Vecchio. Koopjesjagers kunnen hun geluk beproeven op de markt in de Via Sannio of bij de *bancarelle*, de kraampjes in de wijk Esquilino. Enigszins buiten de toeristische paden liggen de winkelcentra van de Via Appia Nuova bij het metrostation San Giovanni, evenals de Viale Libia en de Viale Somalia, ten noordoosten van het station.

Kunst en antiek

De Eeuwige Stad is een paradijs voor liefhebbers van antiek. Exclusieve topadressen bevonden zich in de Via de Coronari, de Via Giulia, de Via Margutta en de Via del Babuino, waar een groot aantal antiquairs is gevestigd. Betaalbare antiek en curiosa vindt u bij de ambachtslieden en restaurateurs in de Via del Pellegrino en rond de Campo de' Fiori. Met enig geluk en een scherpe blik kunt u ook op antiekmarkten als La Soffitta sotto i portici uw slag slaan.

Kledingmaten

De Nederlandse maat 38 komt overeen met de Italiaanse maat 44. U moet er dus altijd zes cijfers vanaf trekken.

Openingstijden

Zie blz. 24.

Antiek en kunst

Sla uw slag – **Anticaglie a Ponte Milvio:** ▨ ten noorden van D 1, Piazza di Ponte Milvio, bus: 32, 69, 200, elke eerste en tweede zo. van de maand, 9-20 uur (beh. in de zomermaanden). Meer dan tweehonderd verkopers bieden aan de oever van de Tiber meubels, verzamelobjecten, sieraden en allerlei curiosa aan.

Een groot veilinghuis – **Casa d'Aste,** ▨ E 3, zie blz. 47.

Allerlei – **La Soffitta sotto i portici:** ▨ E 3, Piazza Augusto Imperatore, metro: Spagna / Flaminio (A), elke 1e en 3e zo. van de maand 9 uur tot zonsondergang. De meer dan honderd handelaars verkopen onder de arcaden van de Piazza Augusto Imperatore schilderijen, prenten, lijsten en tweedehands boeken.

Een markt voor verzamelaars – **Mercato dell' Antiquariato di Fontanella Borghese:** ▨ kaart 2, E 4, Piazza Fontanella Borghese, metro: Spagna (A), ma.-za. 9-13 uur. Ongeveer tien kraampjes met oude prenten en antiquarische boeken.

Boeken en cd's

Internationale boekhandel – **Herder:** ▨ kaart 2, E 4, Piazza Montecitorio 120, herder.it. metro: Spagna (A), bus: 60, 62, 116, 117, 119. Een boekhandel met een goed gesorteerd assortiment. Kunst, geschiedenis en boeken over Rome.

Een enorme keuze – **Libreria Feltrinelli:** ▨ kaart 2, E 5, Largo Argentina 5a/6a, lafeltrinelli.it, bus: 40, 64, tram: 8. Een van de grootste boekhandels van Rome, met een grote keuze aan

klassieke en moderne literatuur. Tevens veel buitenlandse boeken.

Voor kinderen – **Mel Giannino Stoppani:** ▨ kaart 2, F 5, Piazza dei SS. Apostoli 59/65, bus: 40, 60, 64, 70, 117. De grootste kinderboekhandel van Rome, met meer dan 15.000 titels, niet alleen in het Italiaans. Ook luisterboeken en dvd's.

Muziek voor iedereen – **Ricordi:** ▨ E 3, H 4 en H/J 4, Via del Corso 506, metro: Piazza del Popolo (A), Via Orlando 73, metro: Repubblica (A), in het souterrain van Stazione Termini. Keten met het grootste assortiment pop en klassiek van de stad.

Cadeau-artikelen en design

Kwaliteitspapier – **Cartoleria Pantheon:** ▨ kaart 2, E 4 en E 5, Via della Rotonda 15; Via della Maddalena 41, bus: 40, 62, 64, 116. Originele kalenders, bijzondere kaarten en mooi gedecoreerd papier.

Kaarsen en religieuze artikelen– **Cereria San Giorgio:** ▨ kaart 2, C 5, Via Francesco di Sales 85a, cereriadisangiorgio.it, bus: 23, 125, 280, ma.-vr. 10-13.30 en 15.30-19.30, za. 10-13.30 uur. Deze kaarsenwinkel bestaat al meer dan honderd jaar. Behalve kaarsen in alle vormen, kleuren en reuken zijn er ook hosties en miswijn te koop.

Modern design – **Cucina:** ▨ E 3, Via Mario de' Fiori 65, cucinastore.com, metro: Spagna (A). Bestek, tafellinnen en hoogwaardige keukenapparatuur.

Schildersbenodigdheden – **Ditta P. Poggi:** ▨ kaart 2, E 5, Via del Gesù 74/75, poggi1825.it, bus: 30, 40, 46, 62, 63, 64, tram: 8. Deze winkel met

Religieuze artikelen

In de Via della Conciliazione tussen Castel Sant' Angelo en de Sint-Pieter vindt u alle denkbare souvenirs die te maken hebben met de kerk, de paus en het katholicisme. Zo zijn bij **Euroclero** (B 4, Via Paolo VI 31, euroclero.it, bus: 64) liturgische gewaden, onderkleding, sokken, soutanes en monnikspijen te koop. Religieuze artikelen als kaarsen en monstransen worden verkocht bij enkele zaken langs de Via Cestari tussen het Pantheon en de Largo Argentina. Bij de pauselijke kleermaker **Gammarelli** (kaart 2, E 5, Via di Santa Chiara 34, bus: 40) kunnen ook leken terecht voor rode en paarse herensokken. Voor rozenkransen, heiligenbeelden en posters moet u bij **Casa del Rosario** (H 5, Via Esquilino 33, metro: Termini (A/B) bij Santa Maria Maggiore zijn.

schildersbenodigdheden kan zich beroemen op een illustere klantenkring. Morandi, De Chirico, Balthus en Dalí kochten hier hun verf, penselen, doeken en papier.

Alles voor de keuken – **House & Kitchen:** kaart 2, E 5, Via del Plebiscito 103, bus: 40, 62, 64, 84. Alles voor het Italiaanse huishouden, van kleurrijk bestek tot designkeukengerei en espressomachines. Ook grappige souvenirs.

Hoofddeksels – **La Coppola Storta:** E 3, Via della Croce 81, metro: Spagna (A), ma. 14-19, di.-za. 11-19, zo. 13-19 uur. De *coppola*, een hoofddeksel met een grote klep, werd door Siciliaanse boeren gedragen ter bescherming tegen zon en wind – en door leden van de maffia gebruikt om zich te vermommen. Later is het ontdekt door modeontwerpers. Ook speciale damesmodellen.

Een feest voor de zintuigen – **L'Olfattorio:** E 3, zie blz. 47.

Voetbalshirts – **Roma Store:** kaart 2, E 4 en kaart 1, H 5, Piazza Colonna 360, metro: Spagna (A); Lazio Point, Via Farini 34, metro: Termini (A/B). Shirts en gadgets van zowel AS Roma als Lazio Roma. Er zijn ook kaartjes voor de wedstrijden te koop.

Delicatessen, wijn en specialiteiten

Kloosterwinkel – **Ai Monasteri:** kaart 2, D 4, Corso Rinascimento 72, ai monasteri.it, bus: 30, 70, 81, 87, 116. In deze knusse winkel vindt u allerlei producten uit Italiaanse kloosters, zoals olijfolie, likeur, chocolade, kruidenthee en honing.

Voor de liefhebbers van Italiaanse producten – **Castroni:** C 3, Via Cola di Rienzo 196, castronigroup.it, metro: Ottaviano (A), bus: 23, 32, 49, 81, 492, tram: 19. Een eldorado voor liefhebbers van Italiaanse producten van topkwaliteit, van de beste pasta's tot Toscaanse olijfolie, *aceto balsamico* (balsamicoazijn) en uitstekende biologische koffie.

Chocolade – **Confetteria Moriondo e Gariglio:** kaart 2, E 5, Via del Piè di Marmo 21, bus: 40, 62, 64. Suikergoed en zelfgemaakte bonbons en allerlei soorten chocolade zijn de specialiteit van deze chique chocolaterie, die al een aantal generaties bestaat. De bijzonder fraaie verpakking vergroot de voorpret.

Exquise wijnen – **Enoteca al Parlamento:** kaart 2, E 4, Via dei Prefetti 15, enotecaalparlamento.it, bus: 81, 116, 117, tram: 8. Een van de oudste *enoteche* van de stad. Tevens honing, *aceto balsamico* en andere regionale specialiteiten. Ook wijnproeven.

Voor fijnproevers – **Volpetti:** kaart 1a, Via Marmorata 47, fooditaly. com, metro: Piramide (B), bus: 23, 75, 280, tram: 3, 8. Hier gaat het hart van de fijnproever sneller kloppen. In de winkel van de gebroeders Volpetti in Testaccio vindt u de beste soorten kaas en vleeswaren van Italië, evenals olijfolie, wijn en grappa. Rond het middaguur kunt u er een hapje eten.

Markten

De mooiste markt – **Campo de' Fiori:** kaart 2, D 5, bus: 40, 46, 62, 64, 80, 116, ma.-za. 8-13.30 uur. De kleurrijkste levensmiddelenmarkt van Rome is gesitueerd rond het standbeeld van de ketter Giordano Bruno.

Een echte volksmarkt – **Mercato Piazza Testaccio:** kaart 1a, metro: Piramide (B), ma.-za. 7.30-14 uur. Grote levensmiddelenmarkt waar ook goedkope schoenen en kleding worden verkocht.

De grootste vlooienmarkt – **Porta Portese:** D 7, Via Portuense, Via Ippolito Nievo en omliggende straten (Trastevere), tram: 8, bus: 44, 75, elke zo. 5-14 uur. Op de grootste en populairste vlooienmarkt van Rome, met meer dan tweeduizend kraampjes, zijn kleding, schoenen, allerhande accessoires, antiek meubilair, boeken en lp's te koop. Op de Piazza Nievo worden vooral antiek en kunstnijverheid uit de hele wereld aangeboden. Her en der proberen gewiekste balletje-balletje-

spelers de toeschouwers een paar euro (of veel meer!) te ontfutselen. Let op: de markt is ook erg populair bij zakkenrollers!

Mode

Geraffineerd – **Alberta Ferretti:** kaart 2, E 3, Via dei Condotti 34, albertaferretti.com, metro: Spagna (A). De geraffineerde creaties van Alberta Ferretti worden gekenmerkt door sierlijke eenvoud en strakke lijnen. De creaties zijn vooral op jonge vrouwen toegesneden.

Kleurrijk – **Angelo Di Nepi:** kaart 2, F 3 en D 5, kaart 1, C 3, Via Frattina 2, metro: Spagna (A); Via dei Giubbonari 28, bus: 64, 116; Via Cola di Rienzo 267a, bus: 81, angelodinepi.com. De modeontwerper Angelo di Nepi ontwerpt elegante kleding van luchtige zijde en kleurig fluweel.

Casual en elegant – **Blunauta:** kaart 2, F 3 en E 3, Piazza di Spagna 35; Via dei Condotti 29, blunauta.it, metro: Spagna (A). Het succesrecept van deze boetiek, die inmiddels ook een herenafdeling met vrijetijdskleding heeft, is goed zittende mode van zijde, kasjmier en andere natuurlijke stoffen. Ondanks de locatie heel betaalbare prijzen.

Tijdloze chic – **Bomba:** E 2, Via dell Oca 39, cristinabomba.com, metro: Flaminio (A), bus: 117, 119. Deze chique winkel met hoogwaardige en tijdloze kleding, met oog voor detail geproduceerde accessoires en tricotage wordt vooral door gegoede Romeinse dames bezocht.

Voor heren met smaak – **Caleffi:** kaart 2, E 4, Via della Colonna Antonina 53, caleffi.net, bus: 62, 81. Gedistingeerde, tijdloze herenmode, gemaakt van Engelse en Italiaanse stoffen. De eigen kleermakerij maakt alles op maat.

De perfecte pasvorm – **Davide Cenci:**  kaart 2, E 4, Via di Campo Marzio 1-7, davidecenci.com, bus: 175. Zakenlieden en parlementariërs uit het nabijgelegen Montecitorio bestellen hier hun maatpakken, vervaardigd van de fijnste stoffen. Een verdieping hoger zijn accessoires als hoeden en stropdassen te koop, evenals exclusieve damesmode.

Jongerenmode – **Diesel:** kaart 2, E 4, Via del Corso 186, bus: 60, 62, 63, 81, 117, 175. Ondanks de naam een oer-Italiaans merk, dat vooral bij coole jongeren in trek is.

Modeoutlet – **Discount dell'Alta Moda:** E 3 en H 4, Via Gesù e Maria 14/16a, metro: Spagna / Flaminio (A); Via Agostino De Pretis 87/88, metro: Termini (A/B). Haute couture van het vorig jaar voor de halve prijs. De boetiek verkoopt broeken, jasjes, blouses en accessoires van bekende ontwerpers. Ook mannen kunnen hier hun slag slaan.

Stropdassen – **La cravatta su misura:** E 7, Via di Santa Cecilia 12, lacravattasumisura.it, bus: H. Voor op maat gemaakte stropdassen gebruikt Rossella D'Angelo alleen de beste Italiaanse zijde en Engelse wol.

Het beste voor de kleintjes – **LAF (Lavori artigianali femminili):** kaart 2, F 3, Via Capo le Case 6, metro: Spagna (A). Handgemaakt kant en gebreide kleding voor de kleintjes. Jurkjes, truitjes, beddengoed en zondagse kleding voor meisjes van 0 tot 8 jaar.

Retro – **Le Gallinelle:** kaart 2, G 5, Via del Boschetto 76, bus: 64. Een waar eldorado voor liefhebbers van de retrolook. Wilma vervaardigt oorspronkelijke, kleurige jurken in de stijl van de jaren dertig van de vorige eeuw. Tevens accessoires als oude handtasjes van Gucci en dergelijke.

Aan de voet van de Spaanse Trappen begint de Via Condotti, de bekendste winkelstraat van Rome

Wereldberoemde ontwerpers

In de chique winkelstraten Via Condotti, Via Borgognona, Via Bocca di Leone en Via Frattina vindt u de winkels van tal van ontwerpers aan wie de Italiaanse modewereld haar grote reputatie te danken heeft. In de Via Borgognona (▶ kaart 2, E/F 3) zijn de showrooms gevestigd van **Laura Biagiotti** (nr. 43-44), **Roberto Cavalli** (nr. 24/25), **Moschino** (nr. 32a) en **Ermenegildo Zegna** (nr. 7e), in de Via Condotti **Bulgari** (nr. 10), **Valentino Donna** (nr. 13), **Gucci** (nr. 8), **Brioni** (nr. 21 a), **Tod's** (nr. 53), **Armani** (nr. 77), **Ferragamo** (nr. 63; 73-74), **Prada** (nr. 88, 92-95) en **Dolce & Gabbana** (nr. 51/52).

Frans geïnspireerd – **Lei:** ▨ kaart 2, G 5, Via Nazionale 88, bus: 64. Speelse, vrouwelijke mode, die veel verder gaat dan de klassieke broekpakken. Ook schoenen.

Avantgarde – **Loco:** ▨ kaart 2, D 5, Via dei Baullari 22, bus: 64. Kleine schoenenzaak met extravagante modellen van Roberto Cavalli en andere avantgardeontwerpers.

Tot veertien jaar – **Pure:** ▨ kaart 2, E 3, Via Frattina 111, tel. 06 679 45 55, pure sermoneta.it, metro: Spagna (A). Vlotte en sportieve merkkleding voor kinderen tot 14 jaar.

Italiaans understatement – **SBU:** ▨ kaart 2, D 5, Via San Pantaleo 68, bus: 40, 46, 62, 64, 80. De afkorting SBU, het merk van de gebroeders Perfetti, staat voor Strategic Business Unit. Dit is hét adres voor liefhebbers van hoogwaardige jeans, street-stylemode en kleding in vrolijke kleuren. Aanzienlijk goedkoper is de outlet in de Via Chiana 73–75, waar exemplaren van verouderde collecties te koop zijn.

Schoenen en lederwaren

Billijke prijzen – **Barillà:** ▨ E 2, Via del Babuino 33, metro: Spagna (A). Een goed adres voor modieuze en sportieve schoenen.

Trendy schoenen – **Borini:** ▨ kaart 2, D 5/6, Via dei Pettinari 86-87, bus: 40, 64. Franco Borini ontwerpt zijn modieuze schoenen zelf.

Chic – **Fausto Santini:** ▨ kaart 2, F 3, Via Frattina 120, faustosantini.it, metro: Spagna (A). Modellen en actrices uit de hele wereld kopen hier hun *calzature*. De prachtige schoenen hebben natuurlijk hun prijs. Outlet: Via Cavour 106.

Prachtig leer – **Federico Polidori:** ▨ kaart 2, E 5, Via Piè del Marmo 7-8, bus: 62, 40, 64. Polidori ontwerpt leren tassen en accessoires van de hoogste kwaliteit.

Sieraden

Sieraden als kunst – **Pomellato:** ▨ kaart 2, E 4, Piazza San Lorenzo in Lucina 38, metro: Spagna (A). Showroom van een al meer dan veertig jaar bestaande sieradenwinkel, die als geen andere heeft begrepen dat sieraden met behulp van fotografen als Helmut Newton als haute couture kunnen worden gepresenteerd.

De beste horloges – **Vintage:** ▨ kaart 2, E 3, Via Belsiana 70, metro: Spagna (A). Merkhorloges van Rolex en Patek Philippe tot Vacheron Constantin en Cartier.

Rome bij nacht

Het uitgaansleven in Rome speelt zich, op de zwoele zomeravonden althans, voornamelijk buiten af. Romeinen houden ervan om met een stel vrienden door de stad te slenteren, een aperitiefje te drinken in een bar of club en ergens een pizza of een ijsje te eten. In muziekclubs beginnen liveconcerten zelden voor 22 uur, en in discotheken komt de stemming er pas na middernacht in.

Trendy uitgaanswijken

Zoals in alle grote steden zijn de trends in Rome aan snelle veranderingen onderhevig. Wat vandaag 'in' is bij de *ragazzi* en *nottambuli* (nachtbrakers), kan morgen weer 'uit' zijn. Een populaire ontmoetingsplaats is het uitgaansgebied tussen de Piazza Navona, Piazza del Fico en Campo de' Fiori. Bij de *ragazzi* is de studentenwijk San Lorenzo, met zijn vele kroegen, clubs en volkse gelegenheden, erg populair. De afgelopen jaren heeft de nachtelijke scene de multiculturele wijk Pigneto ontdekt, waar Pasolini zijn 'Accattone' opnam.

De bruisende centra van het Romeinse nachtleven zijn echter de voormalige arbeiderswijken Testaccio en Ostiense. Vooral aan de Via Monte di Testaccio rijgen ontelbare keldergewelven met nachtcafés en discotheken zich aaneen. Vooral op zaterdagavond is het hier een drukte van belang, evenals in de nabijgelegen Via Libetta, waar nieuwe trendy gelegenheden, zoals

Goa, zijn neergestreken. In de zomer verplaatsen veel bekende discotheken en restaurants hun activiteiten naar de kust, bijvoorbeeld naar Ostia of Fregene.

Uitgaan in Rome is erg duur. In het weekend wordt bijna overal entree geheven, waarbij niet altijd een eerste drankje is inbegrepen. Bovendien moet dikwijls een *tessera* (lidmaatschapskaart) worden aangeschaft (legitimatie verplicht!).

Evenementen

Rome kan bogen op een bruisend cultureel leven en de Romeinen zijn gek op feesten. Religieuze feesten nemen een belangrijke plaats in op de evenementenkalender. Ze worden door de kerken dikwijls uitstekend georganiseerd. Daarnaast zijn er veel wereldlijke feesten, festivals en andere evenementen.

De opwindendste periode van het Romeinse culturele leven valt op de zwoele zomeravonden van de Estate Romana, de Romeinse culturele zomer. Van half juni tot half september strijden ontelbare evenementen om de gunst van de bezoeker. Duizenden belangstellenden stromen naar de parken, de oever van de Tiber, de heuvels, de opgravingsterreinen, de kerken en de pleinen, om er te genieten van jazz, klassiek, hiphop, wereldmuziek, opera, cabaret, straattheater, openluchtbioscopen en lezingen. Onder de sterrenhemel van Rome vindt iedereen wel

● ● ● ● ● ● ● ● ● ● ● ●

iets naar zijn of haar gading. Wie wil weten wat er zoal te doen is, kan terecht op estateromana.comune.roma.roma.it.

In Rome zijn ongeveer tachtig theaters, waar vaak wisselende, maar altijd eersteklas kunstenaars en gezelschappen optreden. Zelfs het Teatro dell'-Opera (operatheater) en het Teatro di Roma (stadsschouwburg) aan de Largo Argentina werken zonder een vast gezelschap. Het theaterseizoen loopt van oktober tot mei. Voor uitstekende voorstellingen in de openlucht kunt u 's zomers terecht in de Thermen van Caracalla (opera) en het uit de oudheid stammende theater van Ostia Antica (klassieke Griekse en Romeinse stukken).

Met de bouw van het nieuwe Auditorium kregen ook liefhebbers van klassieke muziek hun eigen tempel. Bovendien worden er veel klassieke concerten gegeven in sfeervolle kerken of in de openlucht. Voor pop, rock en jazz kunt u terecht in tal van kleine clubs.

Programmaoverzicht

Een actueel programmaoverzicht met tal van tips over thema-avonden en speciale dj-party's is te vinden in de donderdagbijlage van de kranten 'Repubblica', 'Trovaroma', en het wekelijks verschijnende 'Roma c'è' (met een Engelstalige samenvatting: romace.it).

Kaartverkoop

Tickets zijn verkrijgbaar bij Orbis, Piazza Esquilino 37, tel. 06 474 47 76, bij de filialen van Ricordi (zie blz. 101) en in de muziekwinkel Messaggerie Musicali, Via del Corso 472. Daarnaast zijn er internetbedrijven als helloticket.it of tkts.it (de voorverkooptoeslag bedraagt minstens 10%).

● ● ● ● ● ● ● ● ● ● ● ●

Bars

Een traditioneel koffiehuis – **Antico Caffè della Pace:** ▮ kaart 2, D 4, Via della Pace 3/7, caffedellapace.it, bus: 40, 46, 62, 64, 80, ma. 16-3, di.-zo. 9-3 uur. Modegrillen komen en gaan, maar Caffè della Pace, met zijn donkere jugendstilinterieur, blijft altijd bestaan. Een van de weinige etablissementen in Rome waar de sfeer van de oude koffiehuizen bewaard is gebleven. Gelegen aan een *piazzetta* achter de Piazza Navona.

Zien en gezien worden – **Doppiozeroo:** ▮ ten zuiden van E 8, Via Ostiense 68, tel. 06 57 30 19 61, doppiozeroo.it, metro: Garbatella (B), di.-zo. 7-22 uur, *aperitivo* 18.30-21 uur, vanaf € 9. Dit is dé gelegenheid om gezien te worden: achter de enorme vensters is het haast onmogelijk om onopgemerkt te blijven. En dat weet de Romeinse *movida* maar al te goed. In deze chique gelegenheid is het tijdens het *aperitivo* (met uitgebreid buffet) altijd stampvol. Een goed beginpunt voor een avondje stappen in Testaccio.

Cool – **Fluid:** ▮ kaart 2, D 5, Via del Governo Vecchio 46, fluideventi.com, bus: 64, dag. 18-2 uur, cocktails € 7, zo. € 10. Deze cool ingerichte bar met een uitgebreid buffet is een van de beste adressen voor een aperitiefje. Hier komt een bont geschakeerd publiek; vooral in de weekends is het er afgestampt vol.

Chic – **Maud:** ▮ G 6, Via Capo d'Africa 6, tel. 06 77 59 08 09, maud-roma.it, metro: Colosseo (B), ma.-za. 19-2, *aperitivo* tot 21.30 uur, kleine hapjes € 3-5, *primi* vanaf € 7. Een chique lounge-bar (tevens restaurant, vanaf € 30) met ruime, met wit leer beklede stoelen, een prima wijnkaart en heerlijke hapjes.

Vezio Bar in de Via di Tor di Nona 37, vlak bij Castel Santa Angelo

Laat u verrassen – Mia Sushi & Style:  G 5, Via Panisperna 225, tel. 06 47 82 46 11, bus: 64, 84, 117, di.-vr. 11-15, 17-22, za. 11-22 uur, laatste zo. van de maand brunch, aperitief met sushi € 10, brunch € 18. In deze curieuze levensmiddelenwinkel kunt u terecht voor sushi en Japans bier. Daarna kunt u alles kopen wat er te zien is – van de stoel waarop u zit tot tweedehands accessoires, designmeubels en tapijten. Hier valt u van de ene verrassing in de andere. Beste tijden: wo. voor een aperitief en de laatste zo. van de maand voor een brunch. Elke wo. kookcursus (info op miamarket.blogspot.com).

Trendy – Salotto 42: kaart 2, E 4, Piazza di Pietra 42, salotto42.it, bus: 175, di.-zo. 19-21, za. ook 13-15 uur. Salotto is een stijlvolle cocktailbar met marmeren zuilen, fraaie stoelen uit de jaren vijftig van de vorige eeuw en een grandioos uitzicht op de 's avonds verlichte Tempel van Hadrianus. Overdag is deze gelegenheid ook ideaal voor een koffie of brunch.

Stijlvoller kan haast niet – Stravinskij Bar: E 2, Via del Babuino 9, metro: Flaminio (A), dag. 10.30-1 uur. De bar van Hotel de la Ruisse is een van de exclusiefste en beste cocktailbars van de stad. De bar is alleen toegankelijk via het hotel.

Glitter en glamour – Tazio: H 4, Piazza della Repubblica 47, tel. 06 48 93 80 61, metro: Repubblica (A), Termini (A/B), bus: 60, dag. 8-1 uur, vanaf € 7.

Deze bar, die genoemd is naar Tazio Secchiaroli, de *paparazzo* van het *dolce vita*, is erg populair bij de upper ten van Rome. Bij de uitstekende champagne worden oesters en belugakaviaar geserveerd.

En vogue – **Vineria Reggio:** ■ kaart 2, D 5, Campo de' Fiori 15, tel. 06 68 80 32 68, bus: 40, 46, 62, 64, 116, 916, ma.-za. 8.30-2 uur, zo. gesl. Dankzij de locatie en de goede Italiaanse wijnen ontwikkelde deze mooie bodega zich tot een ontmoetingsplaats van Romeinse nachtbrakers en buitenlandse bezoekers, die hier 's ochtends een kop koffie komen drinken en op zwoele avonden het plein vullen. Ook de onlangs geopende, naburige **Taverna del Campo** blijkt een echte publiekstrekker te zijn (tel. 06 687 44 02, dag. geopend).

Bioscopen

Een uniek filmhuis – **Casa del Cinema:** ■ F 2, Largo Marcello Mastroianni 1, tel. 06 42 36 01, casadelcinema.it, bus: 88, 95, 116, 490, 491, 495. Een wereldberoemd filmhuis aan de rand van de Villa Borghese, met een moderne bioscoopzaal, een gespecialiseerde bibliotheek en videozalen. Op het programma staan speelfilms en documentaires, evenals lezingen en discussies met acteurs, actrices en regisseurs uit de filmindustrie en het toneel. Hier wordt het filmfestival van Rome gehouden.

Voor de echte filmfans – **Cinema Trevi:** ■ kaart 2, F 4, Vicolo del Puttarello 25, tel. 06 678 12 06, csc-cinematografia.it,

Openluchtbioscopen

L'Isola del Cinema: ■ kaart 2, E 6, openluchtbioscoop op het Tibereiland met films uit de hele wereld (isoladelcinema.com, bus: H, begin juli-aug.).
Cineporto: ■ buiten D 1, hier worden de succesvolste films uit de voorbije lente en Italiaanse meesterwerken vertoond. Uitstekend beeld en geluid (Viale Antonio di S. Giuliano, Ponte Milvio, metro: Ottaviano-San Pietro (A), dan verder met bus 32, cineporto.com, half juli-eind aug.).
Notti di Cinema a Piazza Vittorio: ■ J 5, op het grote plein van de multiculturele wijk Esquilino worden in een openluchtbioscoop films uit het afgelopen seizoen vertoond (in aug. ook kinderfilms; agisanec.lazio.it, metro: Vittorio Emanuele (A), eind juni-begin sept.).

metro: Barberini (A), bus: 52, 61, 80, 116, 119, 175. Huisbioscoop van de nationale filmbibliotheek. Experimentele films, al lang vergeten klassiekers en werkkopieën – iets voor filmliefhebbers.

Discotheken

Voor jongeren – **Alpheus:**  ten zuiden van E 8, Via del Commercio 36, alpheus.it, metro: Piramide / Garbatella (B), bus: 23, 673, 716, 769, vr., za. 22-4 uur, op andere dagen wisselend. Deze bij de jeugd populaire disco biedt in drie zalen livemuziek, vooral commerciële muziek en hiphop. Op zondag tango en salsa.

Populair – **Distillerie Clandestine:** ten zuiden van E 8, Via Libetta 13, Infoline 06 57 30 51 02, distillerieclandestine.com, metro: Garbatella (B) of bus: 23, do.-za. vanaf 20.30 restaurant; 23-4 uur disco. Populaire disco, gericht op een publiek van boven de 25 jaar. Clandestine is ingericht in de stijl van het Amerika uit de jaren twintig van de vorige eeuw. Tevens een goed restaurant.

Zien en gezien worden – **Gilda:** kaart 2, F 4, Via Mario de' Fiori 97, gildabar.it, gildaonthebeach.it, metro: Spagna (A), bus: 52, 53, 61, 71, 80, 85, 117, 119, di. en do.-zo. 23-4 uur, Ristorante Le Cru vanaf 11.30 uur, zo. middag en wo. avond gesl. Al decennia lang dé ontmoetingsplaats van Romeinse vips uit politiek en showbizz, die hier hun verjaardagen en feestjes vieren. Wie voorbij de strenge portier komt, mag zichzelf een schouderklopje geven. Voor culinaire hoogstandjes en exclusieve wijnen kunt u terecht bij het bijbehorende **Ristorante Le Cru**.

De populairste disco van Rome – **Goa:** ten zuiden van E 8, Via Libetta 13, metro: Garbatella (A), bus: 23, 679, di.-zo. 23-4 uur. De lange rij voor de deur wijst de weg naar de populairste disco van Rome, die zich binnen enkele jaren heeft ontwikkeld tot de meest trendy gelegenheid van de stad en een trefpunt van fotomodellen, modeontwerpers en binnen- en buitenlandse bekendheden. De discotheek is ingericht in een chique, aan

Cocktailbars zijn in Rome erg populair. Liefhebbers kunnen kiezen uit honderden gelegenheden

clubs in New York ontleende stijl, en de dj's behoren tot de beste van Rome.

Chic – **La Maison:** ▨ kaart 2, D 5, Vicolo dei Granari 1, lamaison.it, bus: 40, 46, 62, 64, 916, vr. en za. 23-4 uur. Mooie discotheek in een voormalig 18e-eeuws theater. Tussen de kristallen kroonluchters en het rode fluweel beweegt zich een trendy publiek. Op zondag (Glam Night) wordt voornamelijk house, etno en lounge gedraaid.

Zonder pretenties – **Micca-Club:** ▨ K 6, Via Pietro Micca 7a, tel. 06 87 44 00 79, miccaclub.com, metro: Vittorio (B), do.-za. 22-2, zo. 19-24 uur. Trendy gelegenheid in een kelder met gewelven, die in het verleden dienst deed als opslagplaats voor wijn. Vanaf middernacht stroomt het hier vol voor de disco en liveconcerten. Overwegend muziek uit de jaren zeventig en tachtig.

Techno, house en hiphop – **Saponeria:** ▨ ten zuiden van E 8, Via degli Argonauti 20, tel. 06 574 69 99, saponeriaclub.it, metro: Garbatella (B), bus: 29, 769, 770, 40N, 80N, vr. en za. vanaf 22.30 uur. Een discotheek waar house, techno en hiphop worden gedraaid. Freaky Friday met rap, soul en rhythm-and-blues is bijzonder populair. De zaterdagavond is Sugar Night met actuele dansmuziek, house en internationaal bekende dj's.

Homo en lesbisch

Het trefpunt van de gay en lesbische scene wordt gevormd door de clubs en bars aan de Via San Giovanni in de buurt van het Colosseum. Niet voor niets kreeg deze straat enkele jaren geleden de bijnaam Gay Street.

In de hele stad bekend – **Alibi:** ▨ kaart 1a, Via di Monte Testaccio 40/44,

metro: Piramide (B), tram: 3, bus: 95, 673, 719, wo.-ma. 22.30-24 uur. Een van de langst bestaande uitgaansgelegenheden in Testaccio, met een restaurant in de openlucht en verschillende dansvloeren op twee etages. Deze homodiscotheek, waar voornamelijk harde techno- en electromuziek wordt gedraaid, trekt inmiddels meer liefhebbers dan homo's. Op zwoele zomeravonden doet ook het prachtige dakterras dienst als dansvloer.

Trendsetter – **Hangar:** ▨ H 5, Via in Selci 69, metro: Cavour (B), bus: 75, 84, 117, wo.-ma. 22.30-2.30 uur. Dit was de eerste homobar van Rome, met discobar, video-instalaties en American bar. Hangar trekt voornamelijk een jong publiek. Behalve op maandag is deze gelegenheid ook voor vrouwen toegankelijk.

Iets heel aparts – **Muccassassina:** ▨ ten oosten van M 5, c/o Qube, Via di Portonaccio 212, muccassassina.com, trein: Prenestina (FR 2), elke vr. vanaf 22.30 uur. 'Dood de koe' is een door de Circolo Mario Mieli – de Romeinse homo-organisatie – georganiseerd evenement. Op drie verdiepingen wordt gedanst op house, black en commerciële muziek.

Livemuziek

De beste jazz van de stad – **Alexanderplatz:** ▨ B 2/3, Via Ostia 9, alexanderplatz.it, metro: Ottaviano (A), bus: 23, 80, 492, okt.-juni dag. 21-1.30, concerten vanaf 22.30 uur. Alexanderplatz is nog altijd de beste jazzkroeg van Rome met voornamelijk Amerikaanse musici. Tevens een multiculturele keuken.

House of Blues – **Big Mama:** ▨ D 7, zie blz. 37.

Tangherie ...

... zo noemen Romeinse tangoliefhebbers hun dansgelegenheden. Het is al meer dan een eeuw geleden sinds de eerste tango in Rome weerklonk. De uitdagende dans vond grote weerklank bij de Romeinse upper ten. Zelfs paus Pius X liet de nieuwe dans voor zich opvoeren. Tegenwoordig maakt de tango een heropleving door. De afgelopen jaren zijn in Rome vijftien nieuwe *tangherie* geopend. Vooral de Argentijnse tango is erg populair. Enkele van de beste gelegenheden zijn:

TANGofficina: ☐ M 3, Via Cupa 5 (San Lorenzo), tangofficina.it, bus: 310, di. en za. vanaf 22.30, zo. vanaf 18.30 uur.

Il Giardino del Tango: ☐ buiten D 1, Via degli Olimpionici 7, Ponte Milvio, ilgiardinodeltango.it, metro: Flaminio (A), dan verder met tram: 2, wo.-za. vanaf 22.30 uur.

Alpheus: ☐ ten zuiden van E 8, Via del Commercio 36, Ostiense, zie blz. 107, zo. 21-3 uur.

Mekka voor jazzliefhebbers – **Casa del Jazz:** ☐ ten zuiden van H 8, Viale di Porta Ardeatina 55, casajazz.it, metro: Piramide (B), bus: 714. Dit mekka voor jazzliefhebbers bestaat pas een paar jaar en is gevestigd in een door de overheid geconfisceerde villa van een maffiabaas. In de villa en het 2,5 ha grote park worden jamsessies, concerten, festivals en lezingen gegeven.

Nog meer jazz – **La Palma Club:** ☐ ten oosten van M 5, Via Giuseppe Mirri 35, lapalmaclub.it, bus: 71, ma.-do. vanaf 22, vr. en za. vanaf 23 uur. In dit mooie etablissement met zijn goede restaurant treden bands uit de hele wereld op, vooral tijdens het Fandango Jazzfestival in juni en jul. In de buurt van de Via Tiburtina.

Opera en concerten

Het beste orkest van Rome – **Accademia Nazionale di Santa Cecilia:** ☐ E 1, Auditorium Parco della Musica, Largo Luciano Berio 3, inlichtingen tel. 06 802 42 33 54 /55 (dag. 11-18 uur; 's winters wo., 's zomers za. gesl.); kaarten tel. 06 808 20 58, santacecilia.it, bus en metro:

zie Auditorium. Het repertoire van het gerenommeerde symfonieorkest van de Accademia Nazionale di Santa Cecilia strekt zich uit van 18e-eeuwse tot hedendaagse componisten. Het orkest, dat momenteel wordt gedirigeerd door Antonio Pappano, speelt meestal in het Auditorium (zie blz. 70).

Veelzijdig – **Associazione Culturale Il Tempietto:** tel. 06 87 13 15 90, 06 87 20 15 23, tempietto.it. Deze vereniging organiseert het hele jaar door concerten, die in de zomermaanden in de openlucht worden gegeven. Van Bach en Keith Jarrett tot de tango's van Piazzolla. De concerten worden gegeven in het **Casina delle Civette** en het **Casino dei Principi** in de **Villa Torlonia** (☐ K 1/2, bus: 36, 60, 62, 84, 90), evenals in het **Theater van Marcellus** uit de oudheid en de **Sala Baldini** (☐ kaart 2, E 6, Piazza Campitelli 9, bus: 30, 40, 44, 46, 64, 84).

Een prestigeobject – **Auditorium – Parco della Musica:** ☐ E 1, zie blz. 70.

Een paradijs voor klassieke muziek – **Il Gonfalone:** ☐ kaart 2, C 5, Via del

Gonfalone 32, info: Vicolo della Scimia 1b, tel./fax 06 687 59 52, bus: 23, 40, 46, 62, 64, 116, 280. Deze prachtige zaal met fresco's uit 1580 is de thuishaven van het orkest Gonfalone en vormt een passend decor voor de barokke concerten, waarbij soms oude instrumenten worden gebruikt (meestal op donderdag).

Belcanto – **Teatro dell'Opera:** ■ H 4, Piazza Beniamino Gigli 1, tel. 06 48 16 01, operaroma.it, metro: Repubblica (A). Ook al kan de Romeinse opera zich niet meten met het Scala van Milaan, niettemin is een bezoek aan dit prachtige theater, dat is ingericht in de stijl van de belle époque, een onvergetelijke belevenis. Gelieerde theaters zijn het Teatro Costanzi en het Teatro Nazionale (Via Viminale 51). In de zomermaanden worden in de Thermen van Caracalla uitvoeringen in de openlucht georganiseerd.

Toneel

Het topgezelschap van Rome – **Teatro Argentina:** ■ kaart 2, E 5, Largo di Torre Argentina 52, tel. 06 68 80 46 01, teatrodiroma.net, alleen in Italië tel. 800 01 33 90, kaartverkoop tel. 06 684 00 03 45, bus: 40, 64, tram: 8. In het Teatro Argentina ging in 1814 de opera 'De barbier van Sevilla' van Rossini in première. Vandaag de dag is dit de thuishaven van het Teatro di Roma en treden de bekendste gezelschappen van Italië hier op.

Een klassiek programma – **Teatro Eliseo & Piccolo Eliseo:** ■ kaart 2, G 5, Via Nazionale 183, tel. 06 48 87 22 22, 06 488 21 14, 06 488 50 95, teatroeliseo.it, bus: H, 40, 60, 64, 70, 71, 170. Een groot particulier theater met een vast gezelschap, dat is gespecialiseerd in succesvolle klassiekers. Er is ook kindertheater.

Concert in het kader van de Festa de'Noantri op de Piazza Santa Maria in Trastevere

Toeristische woordenlijst

Uitspraak

Over het algemeen wordt het Italiaans net zo uitgesproken als het wordt geschreven. Twee opeenvolgende klinkers worden allebei uitgesproken (bijv. E·uropa). De klemtoon ligt bij de meeste woorden op de voorlaatste lettergreep. Als de klemtoon op de laatste lettergreep valt, wordt dat aangegeven met een accent, bijv. città, caffè). Andere accenten die in deze gids zijn aangegeven dienen alleen om de uitspraak te vergemakkelijken, maar komen in het geschreven Italiaans niet voor.

c	voor a, o, u als k, bijv. conto; voor e, i als tsj, bijv. cinque
ch	als k, bijv. chiuso
ci	voor a, o, u als tsj, bijv. doccia
g	voor e, i als dsch, bijv. germania
gi	voor a, o, u als dzj, bijv. spiaggia
gl	als lj in briljant, bijv. taglia
gn	als gn in cognac, bijv. bagno
h	wordt niet uitgesproken
sc	voor a, o, u als sk, bijv. scusi; voor e, i als sj, bijv. scelta
sch	als sk, bijv. schiena
sci	voor a, o, u als sj, bijv. scienza
v	als w, bijv. venerdì
z	soms als ds, bijv. zero; soms als ts, bijv. zitto

Algemeen

goedemorgen / -dag	buon giorno
goedenavond	buona sera
goede nacht	buona notte
tot ziens	arrivederci
excuseer	scusa (scusi)
hallo	ciao
alstublieft	prego / per favore
dank u	grazie
ja / nee	sì / no
pardon?	come? / prego?

Onderweg

halte	fermata
bus / auto	autobus / màcchina
uitrit / -gang	uscita
tankstation	stazione di servizio

rechts / links	a destra / a sinistra
rechtdoor	diritto
inlichtingen	informazione
station / vliegveld	stazione / aeroporto
alle richtingen	tutte le direzioni
eenrichtingsweg	senso ùnico
ingang	entrata
open	aperto /-a
gesloten	chiuso /-a
kerk / museum	chiesa / museo
strand	spiaggia
brug	ponte
plein	piazza / posto

Tijd

uur / dag	ora / giorno
week	settimana
maand	mese
jaar	anno
vandaag / gisteren	oggi / ieri
morgen	domani
's morgens	di mattina
's middags	a mezzogiorno
's avonds	di sera
vroeg / laat	presto / tardi
maandag	lunedì
dinsdag	martedì
woensdag	mercoledì
donderdag	giovedì
vrijdag	venerdì
zaterdag	sàbato
zondag	doménica

Noodgeval

help!	soccorso! / aiuto!
politie	polizia
arts	mèdico
tandarts	dentista
apotheek	farmacìa
ziekenhuis	ospedale
ongeluk	incidente
pijn	dolori
pech	guasto

Overnachten

hotel	albergo
pension	pensione
eenpersoonskamer	camera singola

tweepersoons-kamer	camera doppia	**Winkelen**	
		winkel / markt	negozio / mercato
met / zonder bad	con / senza bagno	creditcard	carta di crédito
toilet	bagno, gabinetto	geld	soldi
douche	doccia	geldautomaat	bancomat
met ontbijt	con prima colazione	levensmiddelen	alimentari
halfpension	mezza pensione	duur	caro /-a
bagage	bagagli	goedkoop	a buon mercato
rekening	conto	grootte	taglia
		betalen	pagare

Getallen

1 uno	11 ùndici	21 ventuno	200 duecento
2 due	12 dòdici	30 trenta	1000 mille
3 tre	13 trédici	40 quaranta	
4 quattro	14 quattordici	50 cinquanta	
5 cinque	15 quìndici	60 sessanta	
6 sei	16 sédici	70 settanta	
7 sette	17 diciassette	80 ottanta	
8 otto	18 diciotto	90 novanta	
9 nove	19 diciannove	100 cento	
10 dieci	20 venti	150 centocinquanta	

Belangrijke zinnen

Algemeen

Spreekt u Nederlands / Engels? Parla olandese / inglese?
Ik begrijp het niet. Non capisco.
Ik spreek geen Italiaans. Non parlo italiano.
Ik heet … Mi chiamo …
Hoe heet jij / u? Come ti chiami / si chiama?
Hoe gaat het met jou / u? Come stai / sta?
Dank u, goed. Grazie, bene.
Hoeveel kost…? Quanto costa …?
Ik wil graag … Ho bisogno di …
Wanneer opent / sluit …? Quando apre / chiude …?
Hoe laat is het? Che ora è?

Onderweg

Hoe kom ik in …? Come faccio ad arrivare a …?
Waar is … alstublieft? Scusi, dov'è …?
Kunt u me alstublieft … laten zien? Mi potrebbe indicare …, per favore?

Noodgeval

Kunt u me alstublieft helpen? Mi può aiutare, per favore?
Ik heb een dokter nodig. Ho bisogno di un mèdico.
Hier doet het pijn. Mi fa male qui.

Overnachten

Hebt u een vrije kamer? C'è una càmera libera?
Hoe duur is de kamer per nacht? Quanto costa la camera per notte?
Ik heb een kamer gereserveerd. Ho prenotato una camera.

Culinaire woordenlijst

Bereidingswijze

affogato	gestoofd
alla griglia	gegrild
amabile / dolce	zoet
arrosto/-a	gebraden
arrostato/-a	geroosterd
bollito/-a	gekookt
caldo/-a	warm
formaggio	kaas
freddo/-a	koud
fritto/-a	gebakken
al forno	uit de oven
gratinato/-a	gegratineerd
stufato/-a	gestoofd
con / senza	met / zonder

Voorgerechten en soepen

alici	in zuur ingelegde sardines
antipasti misti	gemengd voorgerecht
antipasti del mare	voorgerecht met vis of zeebanket
bruschetta	geroosterd witbrood met knoflook en olie
cannellini	langwerpige witte boontjes, niet gekruid
carciofi	artisjokken
cozze ripiene	gevulde mosselen
fagiolini bianchi	witte bonen
insalata di polpo	salade met inktvis
melanzane alla griglia	gegrilde aubergines
minestrone	groentesoep
peperonata	gemengde gestoofde groenten
prosciutto	ham
salame di cinghiale	wildzwijnsalami
vitello tonnato	kalfsvlees met tonijn
zucchine alla griglia	gegrilde courgette
zuppa di pesce	vissoep

Pasta's

cannelloni	gevulde noedels
fettuccine / tagliatelle	pastasoort
gnocchi	aardappelgnocchi
paglia e fieno	gele en groene pasta
pasta fresca (fatta in casa)	verse (zelfgemaakte) pasta
pasta ripiena	gevulde pasta, meestal met spinazie
risotto ai funghi	risotto met paddenstoelen
risotto alla marinara	risotto met zeebanket

Vis en zeebanket

anguilla	paling
aragosta	langoest
cozza	mosselen
gamberetto	garnalen
gambero	zeekreeft
orata	goudbrasem
ostrica	oesters
pesce persico	baars
salmone	zalm
seppia	inktvis
sogliola	tong
trota	forel

Vlees en gevogelte

agnello	lamsvlees
anatra	eend
arrosto	gebraden vlees
brasato	gebraden rundvlees
capra	geitenvlees
carne	vlees
cinghiale	wild zwijn
coniglio	konijn
faraona	parelhoen
lepre	haas
maiale / porco	varkensvlees
manzo	rundvlees
oca	gans
pernice	patrijs
pollo	kip
quaglia	kwartel
salumi	worst
spezzatino	goelash
tacchino	kalkoen
vitello	kalfsvlees

Groente en bijgerechten

bietola	snijbiet

carota	wortels	frutta	fruit
cavolfiore	bloemkool	gelato	ijs
cavolo	kool	lampone	frambozen
cipolla	uien	macedonia	verse fruitsalade
fagioli / fave	bonen	mela	appel
finocchio	venkel	melone	honingmeloen
fungo porcino	eekhoorntjesbrood	panna cotta	roompuddinkje
insalata mista	gemengde salade	tiramisù	lange vingers met
melanzana	aubergine		mascarpone
pane	brood	torta (di frutta)	(vruchten-)taart
patata	aardappels	zabaione	mousse met eieren
pisello	erwten		en wijn
pomodoro	tomaten		
porro	knoflook	**Drankjes**	
puntarelle	witlof	acqua (minerale)	(mineraal-) water
riso	rijst	… con gas / gassata	… met koolzuur
sedano	selderij	… senza gas / liscia	… zonder koolzuur
spinaci	spinazie	birra (alla spina)	bier (van de tap)
zucca	pompoen	caffè (corretto)	koffie (met grappa)
		ghiaccio	ijs
Nagerechten en fruit		granita di caffè	koffie-ijs
albicocca	abrikozen	grappa	brandewijn
cantuccini	amandelkoekjes	latte	melk
cassata	ijs met gekonfijte	liquore	likeur
	vruchten	spumante	champagne
anguria	watermeloen	succo	sap
fico	vijg	tè	thee
fragola	aardbeien	vino rosso / bianco	rode / witte wijn

In het restaurant

Ik wil een tafel reserveren.   Vorrei prenotare un távolo.

De menukaart, alstublieft.   Il menù, per favore.

wijnkaart   lista dei vini

De rekening, alstublieft.   Il conto, per favore.

voorgerecht   antipasto / primo piatto

soep   minestra / zuppa

hoofdgerecht   piatto principale

nagerecht   dessert / dolce

bijgerechten   contorno

dagschotel   menù del giorno

bestek   couvert

mes   coltello

vork   forchetta

lepel   cucchiaio

glas   bicchiere

fles   bottiglia

zout / peper   sale / pepe

suiker / zoetjes   zùcchero / saccarina

kelner / serveerster   cameriere / cameriera

Register

Register

Fotoverantwoording
DuMont Bildarchiv, Ostfildern: blz. 9, 12, 17, 50, 54, 57, 62, 71, 72, 74, 76/77, 82/83, 92,
94, 100, 104, 106, 108/ 109, 113,
istockphoto.com: blz. 88 (Morse)
laif, Köln: blz. 96 (Eligio); 30 (Gonzalez); 37 (Hughes); 69 (Lanzilao); 6/7, 28/29, 46,
112 (Madej); 10/11, 90 (Monteleone), 86/87, 110 (Paoni); 48 (Polaris); 78/79 (Pozoolo);
3 (Standl); 59 (Vandeville); 64 (Zanettini)
look, München: 3 (Pompe)
Mauritius Images, Mittenwald: blz. 66 (age)

Notities

Notities

Notities

Notities

Notities

Notities

Notities

Notities

Notities

Notities

Notities

Notities

Notities

Notities

Notities

Notities

Notities

Notities

Notities

Notities

Notities

Notities

Hulp gevraagd!
De informatie in deze reisgids is aan verandering onderhevig. Het kan dus wel eens gebeuren dat u ter plaatse een andere situatie aantreft dan de auteur. Is de tekst niet meer helemaal correct, laat ons dat dan even weten.

Ons adres is:
ANWB Media
Uitgeverij reisboeken
Postbus 93200
2509 BA Den Haag
anwbmedia@anwb.nl

Productie: ANWB Media
Uitgever: Marlies Ellenbroek
Coördinatie: Els Andriesse
Tekst: Caterina Mesina
Vertaling, redactie en opmaak: Hans Wismeijer, Warffum
Eindredactie: Marloes Kleijn, Amsterdam
Illustraties: Sharon van der Hagen, Amsterdam
Stramien: Jan Brand, Diemen
Concept: DuMont Reiseverlag, Ostfildern
Grafisch concept: Groschwitz / Blachnierek, Hamburg
Cartografie: DuMont Reisekartografie, Fürstenfeldbruck
© 2011 DuMont Reiseverlag, Ostfildern

© 2011 ANWB bv, Den Haag
Eerste druk
Gedrukt in Italië
ISBN: 978-90-18-03431-3